AI와 캐릭터 디자인

인공지능총서

인공지능 시대입니다. 기계가 인간의 인지를 대신하고, 사물이 인간을 통하지 않고 다른 사물과 직접 커뮤니케이션합니다. 이에 따른 인간 삶과 문명 변화를 정확히 이해 · 예측 · 대응하는 것은 이 시대 우리 모두의 과제입니다. 인공지능총서는 인공지능 기술과 환경의 여러 주제를 10가지 키워드로 정리합니다. 관련 개념과 이론, 학계와 산업계의 쟁점, 우리 일상의 변화를 다룹니다. 인간과 기술의 현재, 미래를 세심히 분석합니다.

일러두기

- 인명, 작품명, 저서명, 개념어 등은 한글과 함께 괄호 안에 해당 국가의 원어를 병기했습니다.
- 외래어 표기는 현행 어문규정의 외래어표기법을 따랐습니다. 다만 '굿즈', '오리지널리티', '솔루션' 등은 관행을 따랐습니다.

처음이세요?

전문가세요?

AI와 캐릭터 디자인

박희현

대한민국, 서울, 커뮤니케이션북스, 2025

AI와 캐릭터 디자인

지은이 박희현
펴낸이 박영률

초판 1쇄 펴낸날 2025년 10월 27일

커뮤니케이션북스(주)
출판 등록 2007년 8월 17일 제313-2007-000166호
02880 서울시 성북구 성북로 5-11
전화(02) 7474 001, 팩스(02) 736 5047
commbooks@commbooks.com
www.commbooks.com

ISBN 979-11-430-1094-0 03500

책값은 뒤표지에 표시되어 있습니다.

차례

AI와 디자인

최근 10년간 AI는 단순한 보조 도구에서 창작의 핵심적 동력으로 자리 잡으며 디자인 과정을 근본적으로 재편하고 있다. 생성형 AI와 자동화 플랫폼의 출현은 전통적 창작의 경계를 허물고, 디자인 생산성을 높이는 동시에 창작자의 역할과 정체성까지 바꿔 놓고 있다. 산업연구원(KIET), 매킨지(McKinsey), 유네스코(UNESCO) 등 국내외 정책 기관은 AI가 디자인과 예술 산업의 미래 축을 결정짓는 핵심 요인이라고 강조한다. 이제 우리는 AI와 디자인의 관계를 본격적이고도 체계적으로 탐구해야 하는 시점에 이르렀다.

AI와 디자인의 관계는 이제 단순히 효율성과 생산성의 문제가 아니라, '인간과 기술이 어떻게 상호작용하며 의미를 만들어 가는가'라는 새로운 질문으로 확장되고 있다. 과거의 인간-컴퓨터 상호작용(HCI)이 사용성과 기능 중심으로 발전했다면, 오늘날의 인간-AI 상호작용(HAII)은 감정, 윤리, 사회적 맥락이 함께 설계되는 관계적 디자인(relational design)으로 진화하고 있다. 특히 캐릭터 디자인은 이러한 관계 중심 상호작용이 가장 직접적으로 드러나는 영역이다. 사용자는 캐릭터와 대화하며 감정적 반응을 주고받고, 디자이너는 AI가 전달하는 언어의 뉘앙스나 표정의 정서를 조율한다. 디자인은 더 이상 형상이나 색채를 만드는 행위에 머물지 않고, 감정과 맥락의 경험을 설계하는 과정으로 발전하고 있다.

AI는 인간의 언어, 표정, 음성 데이터를 분석해 감정을 추론하고 반응할 수 있는 단계에 이르렀다. 이러한 감정 컴퓨팅(affective computing)의 진화는 디자인이 단순히 시각적 자극을 만드는 기술이 아니라, 감정적 경험을 창조하는 감정적 인터페이스(emotional interface)로 확장되고 있음을 보여 준다. 이제 디자이너는 형태를 만드는 제작자를 넘어, 감정적 관계를 설계하는 경험 디자이너로서 역할을 수행해야 한다. 인간의 감수성과 기술적 판단이 교차하는 이 지점에서, AI 시대의 디자인은 새로운 문화적 언어로 진화하고 있다. 이러한 변화가 가장 밀도 높게 드러나는 분야가 바로 캐릭터 디자인이다.

왜 AI와 캐릭터 디자인인가?

캐릭터 디자인은 AI 기술이 가져온 변화를 가장 선명하게 보여 주는 영역이다. 캐릭터는 단순한 이미지가 아니라 감정과 개성, 서사와 정체성을 담아내는 매개체로, 인간이 자신을 투사하고 관계를 형성하는 대상이기도 하다. 이러한 본질 때문에 AI의 개입은 가장 즉각적이고도 복합적인 변화를 일으킨다.

생성형 AI는 이제 캐릭터의 외형을 넘어 감정, 개성, 맥락, 스토리 요소까지 정교하게 반영할 수 있는 수준에 이르렀다. 게임, 애니메이션, 메타버스 등 IP(지식재산) 중심 산업에서 캐릭터는 글로벌 브랜딩과 시장 차별화의 핵심 자산이며, AI는 이 과정 전반—아이디어 발상, 시안 생성, 시각적 반복, 언어와 문화 현지화—을 자동화하며 디자이너와 협업해 창작의 범위를 끊임없이 확장하고 있다. 국내외 보고서와 학술 연구 또한 캐릭터 디자인을 AI 창작의 '실험장'으로 지목한다.

따라서 본 저서는 'AI와 디자인'이라는 넓은 담론 속에서 캐릭터 디자인을 중심으로 탐구함으로써, 기술이 창작의 본질을 어떻게 바꾸고 인간의 역할을 어디까지 확장하는지를 살펴보고자 한다. 이는 산업적 변화의 분석을 넘어, AI 시대에 인간이 창의적 존재로서 어떤 의미를 지니는가를 묻는 시도이기도 하다.

책의 구성

이 책은 총 10장으로 구성되어 있으며, 크게 네 가지 주제로 나누어 AI와 캐릭터 디자인 분야의 전반적 변화를 체계적으로 설명한다.

첫 번째(1~3장)는 AI와 캐릭터 디자인이라는 주제에 대한 기본적 이해를 제공한다. AI 기술이 캐릭터 디자인의 창작 과정과 디자이너의 역할에 어떤 영향을 미치는지 살펴보고, 캐릭터 디자인에서 AI 기술 활용을 위해 필요한 기초 개념과 이론을 소개한다. 또한 역사적 맥락에서 AI가 전통적인 캐릭터 디자인 방식과 어떻게 구별되는지 그 의미를 조망한다.

두 번째(4~6장)는 현장에서 활용되는 최신 AI 기술과 실질적인 적용 사례를 중심으로, 캐릭터 디자인과 관련된 다양한 AI 도구의 특징과 실제 활용법을 다룬다. 미드저니(MidJourney), 달리(DALL · E), 레오나르도 AI(Leonardo AI), 컴피유아이(ComfyUI), 슈퍼AGI 일러스트레이터(SuperAGI Illustrator) 등 최신 도구와 생태계의 변화, 구체적 활용 사례를 소개한다. 또한 AI를 통해 캐릭터와 정보 디자인이 결합된 사례, 상호작용적이고 개인화된 캐릭터 구현 사례를 통해 실제 현장에서 AI가 어떻게 작동하는지 구체적으로 살펴본다.

세 번째(7~8장)는 AI와 인간 디자이너의 효율적인 협력 방법 및 AI 기술 활용 시 발생하는 윤리적 및 법적 쟁점을 다룬다. 캐릭터 디자인 과정에서 인간과 AI의 상호협력 모델을 단계적으로 설명하고, 저작권 문제, 데이터 편향성, 창작 주체 논란 등 AI를 활용하면서 나타나는 현실적이고 복잡한 쟁점들을 논의한다.

마지막으로 네 번째(9~10장)는 AI가 캐릭터 디자인 분야에 가져올 미래 변화와 산업적 전망을 제시하고, 이를 바탕으로 실무자들이 현장에서 실질적으로 적용할 수 있는 구체적 가이드라인과 실천 전략을 제안한다. 또한 AI 기술 발전에 따른 디자이너의 새로운 역할, 창의성 및 윤리적 책임 등 미래 사회에서 디자인 산업이 나아갈 방향성을 조망한다.

이 책은 기술과 인간의 협업을 중심으로, AI 시대의 디자인 패러다임 전환을 종합적으로 탐구하는 시도다. 기존의 도구 중심 접근에서 벗어나 감정 · 윤리 · 사회적 맥락이 결합된 인간 중심 디자인 패러다임을 제시하며, AI를 단순한 기술이 아니라 창의성과 관계성을 확장하는 문화적 매개체로 바라본다.

다만, AI 디자인의 빠른 확산 속에서 여전히 다루어지지 않은 현실적 과제들도 남아 있다. 저임금 창작자 문제, 데이터 활용의 불평등, 대형 플랫폼의 시장 독점, 그리고 사회적 수용성과 문화적 오해 등은 앞으로 디자인 연구와 산업이 함께 풀어가야 할 중요한 주제다. 이 책은 이러한 문제들을 외면하지 않으면서, AI 시대의 디자인을 기술 발전의 차원을 넘어 인간과 사회의 관점에서 바라보려는 시도를 담고 있다.

독자들은 이 책을 통해 AI가 디자인 산업에 미치는 영향뿐 아니라, 인간과 인공지능이 함께 성장하며 만들어 갈 창의적 협력의 미래를 그려 볼 수 있을 것이다. 그리고 그 미래는 단순히 기술의 진보가 아닌, 인간의 창의성과 책임이 중심이 되는 디자인의 새로운 전환점이 될 것이다.

참고문헌

성열용(2025). "디지털 전환 시대 디자인산업의 해외 진출 현황과 시사". 《월간 KIET 산업경제》, 2025년 3월호. 산업연구원.

German Commission for UNESCO(2024). Approaches to an ethical development and use of AI in the Cultural and Creative Industries.

Khan, T.(2023.7.24). The copyright conundrum: How AI faces legal and ethical challenges in 2024. The BarristerGroup. https://thebarristergroup.co.uk/blog/the-copyright-conundrum-how-ai-faces-legal-and-ethical-challenges-in-20

24

KIET 산업연구원(2024). "디자인산업 혁신과 AI". 정책보고서.

McKinsey & Company(2024.3.4). Generative AI fuels creative physical product design—but is no magic wand. McKinsey & Company. https://www.mckinsey.com/capabilities/mckinsey-digital/our-insights/generative-ai-fuels-creative-physical-product-design-but-is-no-magic-wand

Tang, M. & Chen, Y.(2024). AI and animated character design: Efficiency, creativity, interactivity. *The Frontiers of Society, Science and Technology, 6*(1), pp.117~123. https://francis-press.com/papers/14520

UNESCO(2023). AI and the Future of Creativity. Policy Paper.

Wang, Z. et al.(2024). Evaluating and mitigating IP infringement in visual generative AI. arXiv:2406.04662.

01
AI와 캐릭터 디자인

AI는 캐릭터 디자인의 창작 방식과 제작 과정에 새로운 변화를 가져오고 있다. 데이터 기반 분석과 생성형 기술을 통해 다양한 스타일 구현과 맞춤형 작업이 가능해졌으며, 반복적 업무는 자동화된다. 이로써 디자이너는 창의성과 미적 판단에 더 집중할 수 있게 되었고, 저작권이나 윤리 등 새로운 쟁점 역시 중요하게 대두된다. AI의 도입은 캐릭터 디자인 영역에 혁신적 가능성과 과제를 함께 제시하고 있다.

기후 위기와 인공지능?

캐릭터 디자인과 AI의 역할

AI로 인해 이미 우리의 일상과 산업 전반이 변화하고 있다. 그중에서도 캐릭터 디자인은 AI의 영향력을 가장 생생하게 경험하는 대표적인 분야 중 하나다. 과거 캐릭터 디자인은 예쁘거나 눈에 띄는 이미지를 만드는 일로 여겨졌으나, 오늘날에는 브랜드 정체성, 디지털 매체의 메시지 전달, 사용자와의 정서적 연결 등 훨씬 복합적인 기능을 요구받는다. 이처럼 캐릭터 디자인은 비언어적 커뮤니케이션 도구이자, 정보를 직관적으로 시각화하고 감정과 메시지를 효과적으로 전달하는 '시각 언어'로 진화해 왔다(Al Sawy, 2024).

AI는 대용량 데이터를 분석해 패턴을 학습하며, 이를 바탕으로 인간의 창의적 문제 해결과 사고방식을 일정 부분 모방하거나 새로운 아이디어를 제안하는 기술로 진화하고 있다. 과거에는 검색, 분류, 추천 등 제한적 용도의 자동화 시스템에 머물렀으나, 최근에는 이미지, 음성, 텍스트 등 감성적 · 창의적 결과물까지 생성하는 전문가적 도구로 자리 잡고 있다(Tang & Chen, 2024). 이제 AI는 디자이너의 조수이자 창의적 파트너로, 캐릭터 디자인의 다양한 단계에 깊이 관여하고 있다.

캐릭터 디자인에서 AI의 역할은 특히 뚜렷하다. 첫째,

AI는 사용자의 취향이나 상호작용 패턴을 분석한 데이터 기반의 인사이트를 제공함으로써 더욱 입체적이고 맞춤화된 캐릭터 창작을 가능하게 한다. 둘째, 다양한 시각적 스타일의 제안, 아이디어 스케치, 콘셉트 확장 등 실무 전 과정에 함께하며 기존 수작업의 한계를 극복한다. 셋째, 대화와 감정 상태 분석을 통해 감정 표현, 표정, 포즈, 복식 등 구체적인 디자인 아이디어까지 즉각적으로 생성 및 추천하는 기능도 빠르게 발전하고 있다(Al Sawy, 2024; Tang & Chen, 2024).

이렇게 AI는 캐릭터 디자인의 정보 전달력, 상징 표현, 정체성 구현까지 다양한 측면에서 필수 역할을 담당하며, 현대 캐릭터 디자인의 발전을 견인하고 있다.

AI 도구의 확대와 캐릭터 디자인의 변화

실제 디자인 실무 현장에서는 생성형 AI 도구의 활용이 빠르게 확산되고 있다. 대표적으로 미드저니, 달리, 어도비 파이어플라이(Adobe Firefly) 등이 쓰인다.

미드저니는 간단한 텍스트 프롬프트로도 예술적이고 고해상도인 이미지를 빠르게 생성할 수 있다. 따라서 캐릭터 콘셉트 설정, 세계관 스케치, 감성 이미지 제안 등 다양한 창작 과정에서 실무자들의 혁신적 '아이디어 확장기' 역할을 한다. 달리는 텍스트 입력만으로 실사에 가까운 이미지를 구현하는 데 뛰어나, 사용자의 상상력을 현실적으로 시각화할 수 있다(Bousetouane, 2025). 어도비 파이어플라이는 포토숍(Photoshop), 일러스트레이터(Illustrator) 등의 어도비(Adobe) 프로그램들과 완벽하게 연동되어 학습과 실무 현장에서 높은 호응을 얻고 있으며, 디자이너들이 작업 효율성과 실험성을 동시에 챙길 수 있도록 돕는다(Khasawneh et al., 2025).

실제로 요르단대학교 디자인학과에서는 미드저니를 활용해 학생들이 다양한 캐릭터 시안을 실습하며 창의적 기획력과 평가 능력을 동시에 키우는 교육 효과를 거두었다는 연구 결과가 발표되었다(Khasawneh et al., 2025). 이러한 AI 도구의 도입으로, 아이디어 제안부터 최종 결과물 제작까지 모든 과정이 혁신적으로 변화하고 있다.

협업 구도에서는 반복적이거나 수작업이 필요한 단순한 작업을 AI가 맡고, 디자이너는 전문성과 창의성을 살릴 수 있는 기획, 전략, 큐레이션에 집중하게 된다. 예컨대 AI가 제공하는 수많은 시안을 빠르게 비교 · 검토하고 가장 적합한 결과를 선정해 세밀하게 다듬는 일, 또는 실무 회의에서 다양한 스타일의 시안을 즉각적으로 생성·공유하며 피드백을 즉시 반영하는 방식 등은 디자인 프로세스를 근본적으로 혁신한다(Tang & Chen, 2024).

또한 실제 3D 캐릭터 연구에서도, AI는 실시간 환경 대응, 감정 상태 기반 애니메이션, 사용자처럼 반응하는 엔피시(NPC, Non-Player Character) 등 다양한 '지능형' 상호작용 캐릭터 구현에 적용된다(Chavez & Lan, 2006). 이렇게 AI는 캐릭터의 감정 표현과 상호작용성까지 확장하며, 디지털 커뮤니케이션의 혁신을 주도한다.

한편 AI 도입이 캐릭터 디자인에 오직 긍정적 효과만 주는 것은 아니다. AI가 방대한 데이터를 학습하는 과정에서 기존에 존재하는 유명 캐릭터의 요소가 포함될 수 있고, 이로 인해 저작권이나 상표권의 침해 위험이 상존한다. 특히 AI가 만들어 낸 결과물의 원본성, 창작 주체성, 그리고 사전 데이터 의존도에 따른 법적, 윤리적 쟁점도 점점 부각되고 있다. 예를 들어 AI가 기존 유명 캐릭터의 특징을 혼합하여 새로운 캐릭터를 만드는 경우, 법적인 논란이 발생할 가능성이 존재한다(Wang et al., 2024). 그러므로 현대의 캐릭터 디자이너들은 기술적 활용 외에도 출처 명시, 지직권 감수성, 데이터 세트 선정에 대한 높은 책임 의식을 반드시 지녀야 한다.

AI와 캐릭터 디자인의 결합은 단순히 새로운 도구의 도입이 아니라, 캐릭터가 정보를 전달하고 감정을 매개하는 방식을 한층 더 확장하고 다양화하고 있다. 캐릭터는 이제 정적인 이미지를 넘어, 사용자의 반응과 맥락에 따라 역동적으로 변화하며, 풍부한 이야기를 전달하는 디지털 커뮤니케이션의 핵심 언어로 자리 잡았다. AI는 방대한 데이터를 활용해 디자이너의 상상력과 창의성을 넓혀 주고 반복적 작업에서 해방하며, 새로운 형태의 시각 언어와 상호작용 구조를 가능하게 한다. 이 과정에서 디자이너는 AI와 협력해 자신만의 미감과 윤리적 판단을 반영하고, 독창적이고 의미 있는 캐릭터를 구현할 수 있다. 따라서 AI와 캐릭터 디자인의 결합은 오늘날 시각 커뮤니케이션의 중요한 변화이며, 디자인 실무와 교육, 문화 전반에 깊은 영향을 주는 흐름임이 분명하다.

참고문헌

Al Sawy, M.(2024). The role of Artificial Intelligence techniques in the evolution of animated characters. *International Design Journal, 14(1),* pp.205~218.

Bousetouane, F.(2025). Generative AI for vision: A comprehensive study of frameworks and applications. arXiv:2501.18033.

Chavez, M. & Lan, T. S.(2006). Establishing intelligence in dynamic real time 3D characters. SIGGRAPH 2006 Research Posters.

Khasawneh, F. et al.(2025). The influence of Midjourney AI on animation character design: A case study of multimedia design students at The University of Jordan. *International Journal of Interactive Mobile Technologies, 19*(3), pp.141～169.

Tang, M. & Chen, Y.(2024). AI and animated character design: Efficiency, creativity, interactivity. *The Frontiers of Society, Science and Technology, 6*(1), pp.117～123.

Wang, Z. et al.(2024). Evaluating and mitigating IP infringement in visual generative AI. arXiv:2406.04662.

02
AI 기술의 기초

AI 기술은 머신러닝, 딥러닝, 생성적 적대 신경망(GAN) 같은 현대적 기법을 통해 캐릭터 디자인에 혁신을 불러왔다. AI는 대량 데이터 분석과 고도화된 이미지 생성으로 디자이너의 아이디어를 확장하며, 실시간 애니메이션과 감정 표현 자동화도 가능하게 한다. 그러나 데이터 편향과 저작권 문제 등 윤리적 · 법적 쟁점도 함께 고려해야 한다. AI는 창작 생태계가 변화하게 하며, 미래 디자인의 핵심 역량으로 자리매김하고 있다.

노래하는 AI 보컬?

AI 기술의 개요와 발전

AI의 역사는 20세기 중엽부터 시작된다. 초기 AI는 인간의 논리적 사고나 간단한 문제 해결을 목적으로 한 규칙 기반 시스템이 주류였다. 하지만 21세기 들어 컴퓨터 성능의 비약적 향상과 빅데이터의 축적으로 인해 AI 기술은 전혀 새로운 차원으로 도약한다. 현대 AI의 핵심적 전환점은 머신러닝(Machine Learning)과 그중에서도 딥러닝(Deep Learning)의 발전이다. 머신러닝은 데이터로부터 패턴과 규칙을 자동 추출하고, 반복적으로 예측 능력을 스스로 향상하는 시스템을 말한다(Tang & Chen, 2024). 실제로 오늘날 우리가 경험하는 이미지 생성, 텍스트 해석, 영상 인식 등 다양한 지능형 기능은 대부분 딥러닝 기술에 기반을 두고 있다.

딥러닝은 인간의 뇌 신경망 구조를 모방한 다층 인공신경망을 통해 방대한 데이터를 스스로 처리 · 학습한다. 이미지, 음성, 텍스트 등 복잡한 정보도 계층별로 추상화하며, 수많은 변수와 특징을 동시에 분석할 수 있다. 이러한 구조 덕분에 딥러닝이 정교한 패턴 인식, 복잡한 예술 이미지 · 애니메이션 생성, 실시간 자연어 처리 등 다채로운 창의적 작업을 자동화하고 있다.

특히 2010년대 중반 제안된 생성적 적대 신경망

(GAN, Generative Adversarial Network)은 AI가 사진과 같은 사실적 이미지를 만들어 내는 혁신적 전환점이 되었다(Bousetouane, 2025). GAN은 '생성자(Generator)'와 '판별자(Discriminator)'라는 두 신경망이 서로 경쟁하며 극도로 정교한 창작물을 생산한다. 수백만 장의 그림, 캐릭터, 배경 이미지를 빠르게 생성하는 오늘날의 AI 도구들은 이런 첨단 기술을 직간접적으로 활용하며, 캐릭터 디자인을 비롯한 시각 창작 방법론 자체를 바꾸고 있다.

캐릭터 디자인에서의 AI 기술: 적용과 의미

AI 기술이 캐릭터 디자인 현장에 도입되면서, 과거에는 불가능하다고 여겼던 여러 가지 창의적 시도가 실제로 실현되기 시작했다. 우선 데이터 기반 디자인이 핵심이 되었다. 머신러닝은 웹, 소셜 네트워크 시스템(SNS), 콘텐츠 플랫폼 등에서 수집된 실제 사용자 취향과 상호작용 패턴, 감정 표현 자료 등을 학습하고, 이를 바탕으로 트렌디하면서도 감정적으로 밀착된 캐릭터 디자인 방향을 자동으로 도출한다. 딥러닝은 수많은 명암, 질감, 자세, 복시 스타일 및 문화권별 시각 코드 등 복합 요소를 분석하고 융합하여 이전 세대 AI와 달리 어떤 입력에 대해서도 신선한 스타일 변환과 창의적 시안 생성 및 감정 표현의 미묘한 차이 등, 높은 수준의 표현력을 보인다 (Khasawneh et al., 2025).

이런 기술을 활용하는 방식은 크게 두 가지다. 첫째는 디자이너가 각종 참고 자료나 직접 만든 프로토타입, 스케치 등을 AI에 입력해 다양한 시안을 자동 생성하는 경우다. 둘째는 텍스트 프롬프트(Text Prompt)만으로 완전히 새로운 스타일의 캐릭터, 배경, 소품 등이 탄생하는 경우다. 예컨대 '20세기 중반의 복고풍 옷을 입은 밝은 소년'이라는 프롬프트만으로도 AI는 수백 개의 다른 이미지를 자동 생성할 수 있다. GAN 등 생성형 기술의 경우, 단순히 '비슷한 이미지' 이상을 만들어 낸다. 프롬프트와 예시만으로도 현실적이고 창의적인 결과물이 나온다.

최근에는 실시간 애니메이션 자동화, 표정 또는 감정 상태에 따른 다양한 이미지 생성, 실시간 주요 포인트 자동 수정 등 더욱 진보된 AI 도구가 확산되고 있다. 미드저니, 달리, 어도비 파이어플라이를 포함한 일련의 생성형 AI 플랫폼이 상용화된 이후, 디자이너가 육체적, 정신적으로 집중력을 요하는 반복 작업에서 벗어나 본질적으로 더 창의적이고 직관적인 일에 매진할 수 있게 되었다. 요르단대학교의 사례처럼 실제 교육 현장에서도, 학생들은 프롬프트만 입력해 각기 다른 스타일의 캐릭터 시안을 받음으로써 창의력과 판단력을 동시에 키운다(Khasawneh et al., 2025).

AI 기술의 개인화와 창작 생태계의 변화

AI 기술은 단지 자동화나 반복 작업의 대체자를 넘어, 창의력과 직관까지 확장하는 동반자로 기능한다. 데이터 기반 분석을 통해 사용자의 미묘한 선호와 최신 트렌드를 반영할 수 있고, 딥러닝 GAN 기반 AI는 새로운 그래픽 스타일, 감정 · 문화적 코드를 다양하게 시도할 수 있다. 일례로 특정 문화나 시대, 연령대와 성별에 맞춘 캐릭터 아이디어도 입력만으로 수많은 변주를 한 번에 제시한다. 실제로 일본 애니메이션 제작사, 글로벌 게임 스튜디오, 국내 콘텐츠 기업들은 다양한 AI 기반 툴을 도입해, 캐릭터 개발 공정을 혁신하고 있다(Al Sawy, 2024).

그러나 AI 기술이 무제한으로 창작의 '신대륙'을 열 것이라는 기대와 달리, 데이터 편향, 알고리즘의 투명성 부족, 윤리 · 저작권 문제 등 해결해야 할 과제도 있다. 대량의 학습 데이터 중에는 기존 캐릭터의 특징이 섞여 들어갈 수 있고, GAN 결과물이 실제 창작자의 저작권을 모호하게 만드는 사례도 발견된다(Wang et al., 2024). 이런 점에서 AI 기술과 원리, 데이터 구조에 대한 이해와 함께, 결과물의 출처 확인, 데이터 세트의 구성 방식, 윤리적 감수성까지 갖춘 인식이 반드시 필요하다. 이 같은 전문성과 책임감을 갖출 때, AI는 단순한 반복 기계가 아니라 디자이너의 창의력을 배가하는 진정한 창작 파트너로 자리매김한다.

AI 기술은 캐릭터 디자인의 방법론, 창작 과정, 결과물의 다양성까지 근본적으로 바꾸고 있다. 머신러닝, 딥러닝, GAN 등 첨단 AI 기술은 디자이너가 상상하는 세계를 더욱 유연하게 실제로 구현할 수 있도록 돕는다. 이런 변화 속에서 인간 디자이너의 해석력, 비평력, 윤리적 판단이 더 큰 의미를 갖게 되며, AI는 창의력의 확장 도구이자 미래 디자인 생태계의 핵심 기술로 자리 잡고 있다.

참고문헌

Al Sawy, M.(2024). The role of Artificial Intelligence techniques in the evolution of animated characters. *International Design Journal, 14*(1), pp.205~218.

Bousetouane, F.(2025). Generative AI for vision: A comprehensive study of frameworks and applications.

arXiv:2501.18033.

Chavez, M. & Lan, T. S.(2006). Establishing intelligence in dynamic real time 3D characters. SIGGRAPH 2006 Research Posters.

Khasawneh, F. et al.(2025). The influence of Midjourney AI on animation character design: A case study of multimedia design students at The University of Jordan. *International Journal of Interactive Mobile Technologies, 19*(3), pp.141~169.

Tang, M. & Chen, Y.(2024). AI and animated character design: Efficiency, creativity, interactivity. *The Frontiers of Society, Science and Technology, 6*(1), pp.117~123.

Wang, Z. et al.(2024). Evaluating and mitigating IP Infringement in visual generative AI. arXiv:2406.04662.

03
캐릭터 디자인의 역사와 진화

캐릭터 디자인은 고대의 신화적 상징에서 현대의 디지털 AI 창작에 이르기까지 시대 흐름에 따라 끊임없이 진화해 왔다. 대중문화와 기술 발전 속에서 캐릭터는 브랜드, 소통, 감정 표현 등 다양한 역할을 해 왔고, 오늘날에는 AI의 도움으로 창의성과 표현의 폭이 크게 넓어졌다. 전통과 미래, 인간성과 기술이 만나는 시점에서 캐릭터 디자인은 앞으로도 새로운 의미와 경험을 창출해 갈 것이다.

인공지능과 편향?

캐릭터 디자인의 기원과 전통적 발전

캐릭터 디자인은 인류가 상징을 사용하고 의사소통을 시작한 순간부터 존재해 왔다. 고대 동굴 벽화, 토템, 신화 속 신상 등을 보면, 선사시대부터 인간은 자신과 공동체, 시대의 신념을 시각적 형상으로 표현하고자 했다. 기원전 이집트와 메소포타미아 문명에서도 신화적 존재를 형상화한 상징들이 벽화, 부조, 토기 등에 남아 있으며, 이는 신앙과 권력, 사회 구조를 전달하는 도구로 기능했다. 이후 고대 그리스, 로마, 동아시아 각국에서도 신화 속 인물과 동물, 영웅상이 점차 캐릭터의 원형으로 정착해 나간다.

중세와 르네상스 시대에는 시각 예술과 인쇄술이 비약적으로 발전하며, 성서 속 인물이나 기사도 문학의 등장인물 등 정형화된 서사적 캐릭터들이 회화, 조각, 목판화, 서적 등 다양한 매체를 통해 대중에게 전달되었다. 유럽의 마스코트나 엠블럼, 동양의 전각 도장 및 설화 삽화 등은 각 문화권의 고유한 미감과 상징성이 반영된 전통 캐릭터 디자인의 기반을 형성했다.

근대 인쇄술의 보급과 대중매체의 발전은 캐릭터가 '아이콘(icon)'으로 진화하는 시대를 열었다. 19세기 후반의 신문 만평과 삽화, 20세기 초반 미국 신문의 연재만화(코믹 스트립)가 반복적 형상과 시각적 상징성을 통해 캐릭터를 대중문화의 중심 요소로 부각하게 했다.

한편 일본의 우키요에는 그보다 앞선 에도 시대(17~19세기)에 목판화 기술을 기반으로 배우, 무사, 기녀 등을 정형화된 이미지로 대중에게 전달하며, 캐릭터의 반복과 양산이라는 시각 문화의 기반을 미리 보여 준 사례로 평가된다. 이러한 전통은 이후 일본 만화와 애니메이션의 시각 문법에도 강하게 영향을 미쳤다.

이후 월트 디즈니(Walt Disney)를 비롯한 초기 애니메이션 작가들은 '오스왈드 더 럭키 래빗', '미키 마우스' 등의 캐릭터를 통해 시각적 단순화, 상업성, 상징성의 균형을 추구하며 현대 캐릭터 디자인의 기본 어법을 확립해 나갔다.

캐릭터 디자인의 현대적 도약과 디지털 전환

20세기 후반, 텔레비전과 컬러 애니메이션, 비디오 게임의 등장과 함께 캐릭터 디자인은 본격적으로 '산업'으로 자리 잡았다. 일본에서는 '우주소년 아톰', '도라에몽', '포켓몬스터' 등 상징적인 캐릭터가 등장했고, 미국과 유럽에서도 다양한 만화, 게임, 광고 마스코트가 범세계적 인기를 누렸다. 이 시기에는 '귀여움', '친근함', '개성' 등

심리적 요소뿐 아니라, 소비자 적합성과 브랜딩 전략이 디자인 목표에 본격 반영되기 시작한다. 또한 라이선싱 산업의 성장으로 캐릭터는 독립적인 상업재이며 동시에 문화 상품으로 자리매김하게 된다.

1990년대 후반부터는 컴퓨터 그래픽(CG), 팬시 굿즈와 같은 2차 창작물, 그리고 인터넷의 확산에 힘입어 다양한 디지털 캐릭터가 대중문화, 게임, 광고, SNS 등에서 넘쳐나기 시작했다. 거대 스튜디오의 3D 컴퓨터 생성 이미지(CGI) 기술, 플래시 애니메이션 플랫폼, 스마트폰 등장 이후의 모바일 앱 전용 캐릭터 등은 유연하게 변화하는 현대인의 미디어 소비 패턴에 맞춰 지속적으로 진화하고 있다.

이 시기부터 캐릭터는 '정적인 일러스트'에서 '변형 가능한 존재', '스토리텔링 구조 안에서 살아 움직이는 주체'로 급격히 확장된다. 또한 페르소나 마케팅, 브랜드 캐릭터, 마스코트, 메타버스 아바타와 같이 사회적 · 상업적 의미가 폭넓게 확장되면서, 디자이너의 역할도 '단순한 그림 제작자'에서 '정보와 감정, 정체성을 설계하는 스토리텔러'로 전환되었다(Tang & Chen, 2024).

AI 시대의 캐릭터 디자인: 진화와 새로운 가능성

21세기에 들어 AI 기술이 본격적으로 창작 분야에 도입되면서, 전통적 캐릭터 디자인의 개념과 구현 방식 모두 커다란 전환점에 놓이게 되었다. 머신러닝, 딥러닝, GAN 등 첨단 AI 기술은 캐릭터의 얼굴, 표정, 포즈, 복장, 색채, 배경 등 모든 요소에 대해 빠른 아이디어 시안 생성과 변형을 가능하게 한다. 예를 들어 텍스트 프롬프트만으로도 수많은 시대적 스타일, 문화권별 복식, 감정적 뉘앙스를 반영한 캐릭터 이미지를 실시간으로 생성할 수 있게 되었다(Bousetouane, 2025; Khasawneh et al., 2025).

AI의 학습 능력은 단일 이미지 생성에 그치지 않는다. 다양한 스타일과 아티스트의 특성을 흡수하여 재구성하고, 사용자 또는 프로젝트별 데이터에 맞춰 개인화된 캐릭터를 제안할 수 있다. 또한 AI 기반 캐릭터 디자인은 전체 디자인 프로세스에 영향을 미친다. 아이디어 구상, 레퍼런스 수집, 다양한 시안 제작, 반복 실험, 최종 결과물 제작까지 모든 단계에서 자동화와 상호작용이 이루어진다. 디자이너는 반복 작업에 매달리기보다, 다양한 결과물 중 최적의 시안을 선별 · 조합 · 재해석하여 더욱 풍부한 메시지와 감정을 캐릭터에 담을 수 있다(Tang & Chen, 2024).

AI 도구의 발전 덕분에 캐릭터는 정적인 존재에서 실시간 상호작용하는 지능형 존재, 즉 메타버스와 같은 가상 환경의 아바타로 진화하고 있다. 챗봇, 소셜미디어 이모티콘, 가상 인플루언서처럼 캐릭터는 더 이상 스토리의 부속물이 아니라, 즉각적으로 반응하고 사용자와 감정을 교환하는 새로운 소통의 주체가 된다(Al Sawy, 2024).

한편 AI 기술의 확산과 함께 데이터 편향, 저작권, 창작 주체성 등 복합적인 쟁점도 동반된다. AI가 만든 캐릭터에 오리지널리티와 고유성을 어떻게 부여할 것인지, 그리고 인간 디자이너의 윤리적 판단과 창작적 해석력이 어떤 위상을 가질지에 대해 앞으로 더 깊이 있는 논의가 필요하다(Wang et al., 2024).

캐릭터 디자인은 벽화와 신화의 심벌부터 현대 미디어와 AI 창작까지, 시대의 감수성과 기술의 진보에 따라 끊임없이 진화해 왔다. 이제 캐릭터는 브랜드와 사회, 미디어와 사용자, 현실과 가상을 연결하는 핵심 매개체로 확장되고 있다. AI는 전통과 미래, 인간성과 기술을 매개하는 도구로서 새로운 캐릭터 디자인의 가능성을 열고 있으며, 디자이너의 창의적 역할과 책임 또한 새로운 지평을 맞이하고 있다.

참고문헌

Al Sawy, M.(2024). The role of artificial intelligence techniques in the evolution of animated characters. *International Design Journal, 14*(1), pp.205~218.

Bousetouane, F.(2025). Generative AI for vision: A comprehensive study of frameworks and applications. arXiv:2501.18033.

Chavez, M. & Lan, T. S.(2006). Establishing intelligence in dynamic real time 3D characters. SIGGRAPH 2006 Research Posters.

Khasawneh, F. et al.(2025). The influence of Midjourney AI on animation character design: A case study of multimedia design students at The University of Jordan. *International Journal of Interactive Mobile Technologies, 19*(3), pp.141~169.

Tang, M. & Chen, Y.(2024). AI and animated character design: Efficiency, creativity, interactivity. *The Frontiers of Society, Science and Technology, 6*(1), pp.117~123.

Wang, Z. et al.(2024). Evaluating and mitigating IP infringement in visual generative AI. arXiv:2406.04662.

04
AI 도구와 기법 소개

20세기 후반 이후 캐릭터 디자인은 애니메이션, 게임, 라이선싱 산업의 성장과 함께 산업화되었으며, 디지털 기술의 발전 덕분에 시각 · 서사 · 상호작용을 아우르는 캐릭터 생태계가 확장되었다. 최근에는 AI 도구의 도입으로 아이디어 발상부터 시안 제작, 감정과 개성의 부여, 반복 실험까지 전 과정을 자동화하며 디자이너의 창의성과 협업 구조를 새롭게 재편하고 있다.

청각장애인과 AI?

다양한 AI 도구의 진화와 최신 흐름

2025년 현재, 캐릭터 디자인 분야에서는 기존에 널리 사용되던 미드저니, 달리, 어도비 파이어플라이, 스테이블 디퓨전(Stable Diffusion)에 더해 훨씬 다양한 생성형 AI 도구들이 실제 현장에서 활용되고 있다. 미드저니는 디스코드 기반 명령어를 통해 독특하고 예술적인 캐릭터 시안을 빠르게 생성할 수 있어 큰 인기를 끌었고, 어도비 파이어플라이는 어도비 디자인 소프트웨어와의 실시간 연동이라는 강점으로 여전히 실무와 교육 현장에서 선호되고 있다. 하지만 최근의 트렌드는 이보다 더 폭넓은 서비스로 확장되고 있다. 예를 들어 레오나르도 AI는 고품질의 판타지 및 SF 스타일 캐릭터 콘셉트 이미지를 생성하는 데 특화되어 있으며, 대형 프로젝트, 게임 개발, 상업 일러스트레이션에의 도입 사례도 꾸준히 증가하고 있다. 특히 캐릭터 스타일 레퍼런스 기능을 통해 다양한 상황과 포즈에서도 동일한 인물로 인식되는 일관된 이미지를 생성할 수 있다는 점이 실무에서 주목받고 있다(SuperAGI, 2025). 또한 인월드 AI(Inworld AI)와 같은 플랫폼은 캐릭터의 시각적 외형뿐 아니라 개별 배경 이야기, 성격, 감정의 변화, 스토리텔링 요소까지 함께 설계할 수 있는 서사 중심 생성형 AI 도구로 주목받고 있다.

이 외에도 아트브리더(Artbreeder), 아트플로(Artflow), 렌사(Lensa), 캐릭터닷에이아이(Character.ai), 퍼첸스(Perchance) 등도 다양한 스타일과 구성의 캐릭터 시안 생성, 개성 및 감성 부여, 반복 실험 등의 영역에서 꾸준히 활용도가 확대되고 있다.

최근 활용 사례와 AI 기반 캐릭터 생태계의 변화

달리는 최근 챗지피티(ChatGPT)와의 통합을 통해 가장 폭넓은 시각적 실험 환경을 제공하고 있다. 사용자는 챗GPT 안에서 바로 프롬프트를 입력하고 "이 캐릭터를 더 밝게 그려 줘", "동일 인물로 여름 배경으로 변형해 줘"와 같은 대화형 질문을 실시간으로 이어 가며 이미지를 반복 생성하거나 수정할 수 있다. 이를 통해 기획 의도와 세부 요소 반영이 훨씬 수월해졌으며, 디자이너와 AI 간의 '대화 기반 협업 구조'가 가능해졌다. 또한 빙(Bing) 기반의 이미지 생성 기능도 빠른 접근성과 다양한 스타일 제공 면에서 강점을 보인다.

현장에서는 컴피유아이, 레오나르도 AI, 슈퍼AGI 일러스트레이터와 같은 전문 생태계 중심의 도구들이 주목받는다. 예를 들어 컴피유아이는 이미지 생성 과정을 노드 기반 인터페이스로 시각화하여 보다 정교한 캐릭터 스타일 조정과 반복 시퀀스 생성을 지원하며, 비전문가도 효율적인 워크플로를 구축할 수 있어 인기를 끌고 있다.

또한 레오나르도 AI는 스타일 및 캐릭터 레퍼런스 기능을 통해 장편 시리즈나 웹툰, 게임 아트 등에서 동일 캐릭터의 시각적 일관성을 유지하는 데 강점을 보이고 있으며, 실제로 프로덕션 단계에서 반복 시안 제작을 간소화하고 기획 의도를 시각적으로 안정되게 전달하는 데 도움을 준다.

슈퍼AGI 일러스트레이터는 복잡한 아트워크 및 시퀀스 기반 캐릭터 시안 생성에 특화된 생성형 AI 도구로, 반복성 높은 스타일을 유지하면서도 다양한 캐릭터 포즈, 표정, 상황 변형을 자동으로 생성하는 기능을 제공한다. 특히 고급 사용자 맞춤 프롬프트 구성과 멀티 에이전트 기반 조정 기능을 통해, 대형 프로젝트에서의 일관성과 창작 효율성을 동시에 확보할 수 있어 게임, 애니메이션 업계에서 주목받고 있다.

AI 도구의 확장과 디자인 혁신의 방향

이러한 AI 도구의 진화로, 캐릭터 디자인의 접근 방식 자체가 근본적으로 변화하고 있다(Tang & Chen, 2024; Khasawneh et al., 2025). 과거에는 수작업 중심의 반복적인 시안 제작이 필수였지만, 이제는 자동화와 가속화를 통해 훨씬 빠르고 유연하게 작업할 수 있는 환경이 조성되었다.

특히 개성, 서사, 상호작용, 일관성과 같은 복잡한 디자인 요소들도 AI가 일정 부분 직접 뒷받침할 수 있게 되면서, 디자이너는 보다 고차원적인 감성 · 맥락 · 브랜드 중심의 의사 결정에 집중할 수 있게 되었다.

AI 기술의 발전은 디자이너가 더 많은 콘셉트를 빠르게 실험하고, 대화와 피드백, 세부 지시어(prompt)를 통해 끊임없이 결과물을 조정하는 '반응적 협업'(reactive collaboration)의 가능성을 열어 주었다. 이로써 캐릭터 개발 과정에서 인간의 창의성과 AI의 기술적 가능성이 유기적으로 결합될 수 있는 새로운 창작 환경이 만들어지고 있다.

하지만 동시에, AI 생성 시안의 저작권 문제, 학습 데이터의 편향, 스타일의 획일화, 기술 의존에 따른 표현력 저하 등도 꾸준히 논의되고 있으며, 이는 단순한 기술 문제가 아닌 디자인 윤리와 표현 다양성의 영역까지 확장되는 이슈다.

따라서 현업 디자이너와 기획자, 교육자 등은 AI를 단순한 도구 수준에 머무르게 하지 않고 창작 프로세스 전반에 능동적으로 통합하되, 최종 결과에 대한 주체적 선택과 큐레이션 역량, 그리고 법적 · 윤리적 감수성을 함께 갖추는 것이 점점 더 중요해지고 있다.

참고문헌

Khasawneh, F. et al.(2025). The influence of Midjourney AI on animation character design: A case study of multimedia design students at The University of Jordan. *International Journal of Interactive Mobile Technologies, 19*(3), pp.141～169.

OpenAI(2023). DALL·E 3 is now available in ChatGPT Plus and Enterprise. OpenAI. https://openai.com/index/dall-e-3-is-now-available-in-chatgpt-plus-and-enterprise/

OpenAI(2024). DALL·E and ChatGPT integration. https://openai.com/blog

SuperAGI(2025). Top 10 AI illustration tools for digital artists in 2025: A comprehensive guide. https://superagi.com/top-10-ai-illustration-tools-for-digital-artists-in-2025-a-comprehensive-guide/

Tang, M. & Chen, Y.(2024). AI and animated character design: Efficiency, creativity, interactivity. *The Frontiers of Society, Science and Technology, 6*(1), pp.117～123.

Wang, Z. et al.(2024). Evaluating and mitigating IP infringement in visual. arXiv:2406.04662.

05
캐릭터와 정보 디자인

캐릭터 디자인은 시각적 아름다움을 넘어 정보 전달과 사용자 경험의 핵심 매개체로 발전하고 있다. 정보 디자인 원칙과 AI 기술의 결합으로 캐릭터는 실시간 반응성과 개인화를 갖춘 지능형 커뮤니케이터가 되었으며, 감정과 상황에 따라 맞춤형 정보를 제공한다. AI를 통해 사용자의 맥락과 데이터를 분석해 색상, 표정, 메시지 등을 실시간으로 조정하고, 복잡한 정보도 직관적이고 감성적으로 전달하는 방식으로 진화하고 있다.

AI 콘텐츠 크리에이터?

정보 전달 매개로서의 캐릭터 디자인

캐릭터 디자인은 단순히 시각적 기호나 미적 조형에 그치지 않는다. 본질적으로 캐릭터는 정보를 전달하는 복합적인 커뮤니케이션 매개체로 기능하며, 사용자에게 브랜드 정체성, 감정, 맥락 등 핵심 메시지를 직관적으로 전달한다. 정보 디자인(information design)은 복잡한 데이터를 쉽게 이해하도록 시각적으로 조직하고, 사용자 요구와 맥락에 최적화된 구조로 정보 흐름을 설계하는 기법에서 출발하는데, 최근에는 이러한 정보 디자인의 원리가 캐릭터 디자인에서도 점점 더 중요한 요소로 자리 잡고 있다.

현대 캐릭터 디자인에서 가장 주목할 점은 색채, 형태, 표정, 포즈 등 미묘한 시각 요소들을 조합하여 단순한 미감의 수준을 넘어 명확한 정보와 의미를 동시에 전달한다는 점이다. 예를 들어 고객 센터 챗봇 캐릭터가 따뜻한 파스텔 색상에 둥근 얼굴, 부드러운 미소를 띠고 있다면, 이는 사용자에게 친절함과 신뢰, 접근성을 상징적으로 전달한다. 반면 공포 테마의 게임 캐릭터라면 높은 대비의 컬러, 각지고 날카로운 실루엣, 매서운 시선 등을 통해 경계심과 주의 환기를 유도한다.

정보 디자인의 주요 원칙인 명료성, 일관성, 계층 구

조, 상황 맞춤성은 캐릭터 디자인에서도 유효하게 작용한다. 특히 캐릭터의 표정, 복장, 소품 선택에 이러한 원칙이 반영되면 사용자는 캐릭터를 통해 자연스럽게 정보를 이해하게 된다. 예컨대 복잡한 기능을 가진 스트리밍 서비스에서 활용되는 내비게이터 캐릭터는 버튼이나 배지, 아이콘, 알림창 등 사용자 인터페이스(UI) 구성 요소들과 색상과 구조를 통일시켜 사용자 혼동을 줄이고, 안내 정보와 보조 기능을 우선순위에 따라 계층적으로 제공한다.

특히 대화형 AI 챗봇이나 디지털 휴먼처럼 사용자와 실시간으로 상호작용하는 캐릭터의 경우, 미세한 표정 변화나 애니메이션 시퀀스, 시선 처리와 같은 비언어적 신호들이 중요한 정보 전달 수단이 된다. 이러한 캐릭터는 사용자의 질문이나 행동에 따라 시각적 반응을 조절하며, 짧은 시간 안에 사용자의 목표를 자연스럽게 안내하는 데 효과적으로 기능한다. 캐릭터는 더 이상 단순한 그래픽 요소가 아니라, 정보 구조를 사용자에게 '느껴지게' 만드는 감성적이면서도 전략적인 안내자이자 커뮤니케이터로 진화하고 있다.

AI 기술과 정보 디자인의 결합: 캐릭터 개인화의 실제 적용

AI 기술의 발전은 정보 디자인 방식에도 큰 전환을 가져왔다. 이전까지는 디자이너가 수작업으로 구성하던 시각 요소들이 이제는 사용자 데이터에 따라 자동으로 생성되고 변형되는 구조로 진화하고 있다. 캐릭터 디자인 역시 예외가 아니며, 정보 디자인의 원칙과 AI 기반 실시간 분석 기술이 결합되면서, 개인화된 캐릭터 인터페이스가 실제 서비스에 적용되기 시작했다.

예를 들어 대화형 챗봇 디자인에서는 오픈AI의 달리, 미드저니, 슈퍼AGI 일러스트레이터와 같은 AI 이미지 생성 도구가 활용되어, 사용자의 입력이나 감정 상태에 따라 사전 정의된 표정 이미지가 자동으로 선택되거나, 일부 시스템에서는 조건에 맞춘 이미지 생성을 시험적으로 시도하고 있다.

대표적인 사례로는 미국의 뱅크 오브 아메리카(Bank of America)의 AI 챗봇 '에리카(Erica)'가 있다. 이 시스템은 사용자의 거래 이력, 상담 주제, 금융 상태 변화 등 행동 데이터를 바탕으로, 안내 메시지, 경고 아이콘, 이모티콘, 색상 테마 등을 자동으로 조정해 정보를 전달한다. 재무 상태가 개선된 사용자에게는 축하 메시지와 함께 밝은 색상과 긍정적인 피드백을 제공하며, 경고 상황에는 색상 강조와 함께 경각심을 유도하는 시각적 구조를 구현한다.

국내 사례로는 하나은행의 '하이챗봇'이 있다. 이 챗봇은 사용자별 상담 기록과 행동 이력을 기반으로, 자주 사용하는 메뉴나 기능에 따라 버튼 배치, 색상 강조, 캐릭터 표정 등을 조정하는 맞춤형 인터페이스를 제공한다. 이러한 변화는 단순한 감성적 장식이 아니라, 정보 우선순위와 메시지 전달력을 높이기 위한 전략적 시각 커뮤니케이션 수단으로 작용한다.

이 외에도 다양한 글로벌 플랫폼들이 사용자의 상황에 따라 자동으로 감정 표현과 시각 요소가 변화하는 AI 캐릭터 기술을 실험하고 있으며, 이는 정보 디자인 원칙이 실제 서비스 환경에서 어떻게 적용되고 확장될 수 있는지를 보여 주는 대표적인 사례들이다.

이처럼 정보 디자인은 AI 기술과 결합하여, 정적인 구조를 넘어 실시간 반응성과 개인 맞춤형 정보 전달이라는 새로운 가능성이 모색되고 있다. 캐릭터는 단순한 시각 요소를 넘어, 사용자에게 '상황에 맞는 정보'를 직관적으로 안내하는 지능형 커뮤니케이터로 기능하게 된 것이다.

정보 디자인 기반 캐릭터 솔루션과 지능형 인터페이스의 미래

정보 디자인의 핵심 원칙(명확성, 일관성, 계층 구조, 접근성 등)이 캐릭터 디자인에 체계적으로 통합될 때, 정보 전달력은 물론 사용자 경험의 질 또한 크게 향상된다. 최근 정보 디자인 응용의 중심은 캐릭터를 단순한 '이미지'가 아닌, 정보의 허브이자 인터랙티브 내비게이터로 작동하도록 설계하는 데에 있다.

실제 현장에서는 성공 여부, 오류 발생, 진행률 변화와 같은 실시간 상태 데이터가 캐릭터의 표정, 제스처, 색상 변화 등 시각 요소로 즉시 반영되어 사용자에게 빠르고 직관적으로 전달된다. 또한 사용자의 행동에 따라 캐릭터가 칭찬, 힌트, 경고와 같은 피드백을 목소리 톤, 표정, 움직임 등 비언어적 표현으로 전달함으로써, IT 시스템의 차가운 느낌을 완화하고 사용자와의 감성적 연결을 강화하는 사례가 늘고 있다.

이러한 흐름은 대규모 이커머스 플랫폼, 스마트홈 환경, 자동차 인터페이스 등 첨단 서비스에서 특히 두드러지며, 캐릭터는 다양한 안내 메시지, 경고 알림, 사용자 맞춤 정보와 결합되어 정보 디자인의 첨병 역할을 수행하고 있다.

최신 연구(Hamdani, 2025)는 산업 5.0 시대의 적응형 인간-컴퓨터 상호작용에서 사용자 상태, 감정, 선호 등을 반영한 실시간 맞춤형 인터페이스가 사용자의 이해도, 만족도 및 신뢰성을 유의미하게 향상한다는 점을 실증적으로 보여 주었다. 특히 개인화된 정보 디자인과 사용자 맞춤 캐릭터 인터페이스가 다양한 사용자 계층의 접근성을 높이고, 문화적 · 사회적 메시지 전달에도 효과적임을 강조하였다.

앞으로 정보 디자인 원칙과 AI 기술이 더욱 정밀하게 결합될수록, 캐릭터는 사용자 맥락과 개성을 반영하는 지능형 커뮤니케이터로 진화할 것이다. 이 과정에서 디자이너는 정보 구조와 미감, 알고리즘 이해력, 윤리 및 접근성 감수성을 함께 요구받게 되며, 캐릭터 디자인은 사용자 경험, 브랜딩, 정보 전달을 아우르는 핵심 전략으로 자리매김할 것으로 보인다.

참고문헌

Artbreeder. https://www.artbreeder.com

Khasawneh, F. et al.(2025). The influence of Midjourney AI on animation character design: A case study of multimedia design students at The University of Jordan. *International Journal of Interactive Mobile Technologies, 19*(3), pp.141~169.

Kim, H. et al.(2025). Situation-adaptive information design for AI character interfaces. *Journal of Human-Computer Interaction, 54*(2), pp.212~229.

Hamdani, R.(2025). Adaptive human-computer interaction for industry 5.0. *Journal of Human-Computer Studies.*

Tang, M. & Chen, Y.(2024). AI and animated character design: Efficiency, creativity, interactivity. *The Frontiers of Society, Science and Technology, 6*(1), pp.117~123.

Wang, Z. et al.(2024). Evaluating and mitigating IP infringement in visual generative AI. arXiv:2406.04662.

06
상호작용과 맞춤형 캐릭터 생성

캐릭터 디자인은 정적인 이미지에서 벗어나, 사용자의 감정과 행동에 실시간으로 반응하는 상호작용적 존재로 진화하고 있다. AI는 대화 맥락과 개인 특성을 분석해 맞춤형 캐릭터 이미지를 생성하거나 변형하며, 챗봇, 게임, 메타버스 등 다양한 분야에서 활용된다. 인간과 AI의 협업을 통해 캐릭터는 점차 학습하고 성장하는 디지털 인격체로 진화하고 있으며, 앞으로는 더욱 개인화되고 감성적인 디지털 동반자로 발전할 것으로 전망된다.

AI와 민주주의?

상호작용적 캐릭터의 탄생과 새로운 경험

20세기 후반까지 캐릭터 디자인은 주로 패키지, 만화, 애니메이션 등 일방향 매체에서 소비자에게 정적인 메시지를 전달하는 시각적 조형 역할에 머물렀다. 그러나 디지털 미디어, 네트워크, AI 기술의 접목으로 캐릭터는 '반응하고 소통하며 변화하는 존재'로 진화했다. 이제 캐릭터는 사용자와의 상호작용 속에서 기억하고, 감정을 읽고, 관계를 구축하는 디지털 페르소나로 기능한다.

이러한 상호작용적 캐릭터는 게임, SNS, 스마트홈, 교육, 상담 등의 플랫폼에서 핵심 요소로 등장하고 있다. 예를 들어 게임 세계의 동료 캐릭터(NPC)는 더 이상 정해진 대사만 반복하지 않으며, 플레이어의 선택과 감정, 맥락에 따라 대화와 표정, 태도, 스토리 경로가 변화한다. 메타버스나 아바타 플랫폼에서는 사용자의 취향, 감정 상태, 사회적 관계를 반영해 캐릭터의 외형과 동작, 말투가 점차 진화한다. 캐릭터는 더 이상 단순한 시각 기호가 아니라, 사용자와 함께 성장하는 동반자로 인식된다.

AI와 진화형 상호작용 캐릭터의 실제

오늘날의 상호작용 캐릭터에는 AI 기반의 생성 기술이

중심에 있다. 최신 알고리즘은 대화 이력, 행동 패턴, 감정 신호를 실시간 분석해 적절한 반응을 즉석에서 생성한다. 예를 들어 챗봇 캐릭터는 단순 응답을 넘어, 말투, 이모티콘, 배경, 표정 등을 사용자별로 조정하며, 이전 대화를 기억해 정서적 일관성을 유지한다.

튜닙의 디어메이트(DearMate), 캐릭터닷에이아이, 테일리파이(Talefy) 등은 프롬프트나 대화 맥락에 따라 캐릭터의 인격, 감정, 이야기 구조를 즉석 생성하며, 다양한 생성형 AI 툴[달리, 미드저니, 플럭스 로라(Flux Lora), 라마젠(LlamaGen), 컴피유아이 등]은 캐릭터의 표정, 자세, 의상, 배경, 감정선을 일관성 있게 유지한 채 변형 가능한 시각 기반을 제공한다.

해외 사례인 뱅크 오브 아메리카의 '에리카'는 고객의 금융 활동, 대화 흐름, 감정 상태에 맞춰 멀티모달 피드백을 제공하며, 국내 하나은행, 네이버 클로바, 카카오 챗봇 등도 유사한 기능을 탑재하고 있다. 게임 분야에서는 슈퍼AGI 일러스트레이터 등 도구를 활용해, 동일 캐릭터가 다양한 이벤트나 유저 상황에 따라 반응을 점진적으로 변화하도록 설계한다.

관계와 경험 중심의 캐릭터 디자인

상호작용형 캐릭터 디자인은 단순한 인터페이스를 넘어 사용자와의 관계 형성을 궁극적 목표로 한다. 사용자의 감정과 습관, 취향 변화에 따라 캐릭터는 스스로 변주하고 기억을 축적하며, 정서적 연대를 형성하는 존재가 된다. 최근 캐릭터닷에이아이나 테일리파이에서는 사용자가 캐릭터와 함께 인격, 세계관, 가치관, 외형을 '함께 만들어 가는' 협업형 진화 구조를 실험하고 있다.

AI 기반 캐릭터는 이제 고정된 결과물이 아니라, 데이터와 피드백을 기반으로 끝없이 업데이트되는 살아 있는 존재다. 이에 따라 디자이너는 단순 조형자가 아닌, 사용자 경험, 알고리즘 흐름, 감정 표현, 윤리와 브랜드 감각까지 통합하는 '경험 설계자(Experience Director)'로 역할이 확장되고 있다.

앞으로 더욱 정교해진 생성 AI, 감정 예측, 기억 축적 기술이 결합되며, 캐릭터와 사용자가 함께 성장하고 추억을 쌓는 초개인화 시대가 본격화될 것이다. 캐릭터는 정보를 넘어서 감정과 일상을 함께하는 진정한 디지털 파트너로 자리매김할 것이다.

인간-AI 상호작용의 사회적 맥락

오늘날 인간과 인공지능의 관계는 단순히 명령을 내리고 응답을 받는 기능적 구조를 넘어, 상호작용 속에서 사회적 의미와 감정적 관계를 형성하는 단계로 발전하고 있다. 인간은 인공지능이 인간이 아님을 명확히 인지하면서도 대화형 캐릭터나 챗봇과 상호작용할 때는 자연스럽게 사회적 규범과 감정을 적용한다.

이러한 현상은 리브스와 나스(Reeves & Nass, 1996)가 제시한 '컴퓨터는 사회적 행위자다(Computers Are Social Actors, CASA)' 가설로 설명될 수 있다.

즉, 인간은 인공지능이 단순한 도구임을 알면서도 무의식적으로 사회적 존재로 대하며, 상호작용 과정에서 심리적 친밀감과 관계감을 형성한다. 이러한 인식 구조는 맞춤형 캐릭터 디자인의 핵심에도 직접적인 영향을 미친다. 캐릭터의 표정 변화, 대화 흐름, 음성 피드백 등은 단순한 인터페이스 요소가 아니라 사회적 신호로 작용한다. 사용자는 캐릭터의 반응을 통해 존중받거나 공감받는다고 느끼며, 이러한 경험은 단순한 정보 교환을 넘어 감정적 교류의 차원으로 확장된다.

결과적으로 캐릭터는 기능적 보조자의 역할을 넘어, 감정적 상호작용을 기반으로 한 관계적 동반자로 발전하고 있다. 인간-AI 상호작용(Human-AI Interaction, HAI) 연구들 역시 이러한 감정적 교류가 사용자 만족도와 지속적 사용 의도에 긍정적인 영향을 준다고 밝히고 있다. 또한 감정컴퓨팅(Affective Computing)의 발전으로, 인공지능은 사용자의 음성 톤이나 텍스트 표현에서 정서를 추정하고 이에 따라 즉각 반응할 수 있게 되었다. 예를 들어 사용자가 피로나 불안을 표현할 때 캐릭터가 표정과 말투를 조정하거나 휴식을 권유하는 사례처럼, 이러한 반응은 단순한 기술적 피드백을 넘어 심리적 안정감과 몰입감을 형성한다. 결국 캐릭터는 인간의 정서를 이해하고 공감하는 디지털 사회적 존재로 인식되며, 사용자 경험 속에서 감정적 인터페이스(emotional interface)로 기능한다. 앞으로의 맞춤형 캐릭터 디자인은 이러한 사회적 상호작용의 이해를 바탕으로, 감정 · 인지 · 행동 데이터를 통합적으로 활용하는 방향으로 발전할 것이다. 이는 인간과 기계의 경계를 허물며, 캐릭터가 단순한 시각적 산출물이 아니라 인간과의 관계 속에서 의미를 재구성하는 새로운 경험 설계의 매개체로 자리하게 됨을 보여 준다.

참고문헌

Character.ai. https://beta.character.ai

Khasawneh, F. et al.(2025). The influence of Midjourney AI on animation character design: A case study of multimedia design students at The University of Jordan. *International Journal of Interactive Mobile Technologies, 19*(3), pp.141~169.

LlamaGen.AI(2025). Ultimate guide to AI character consistency in 2025. https://llamagen.ai/blogs/ai-character-consistency-solutions-2025

Tang, M. & Chen, Y.(2024). AI and animated character design: Efficiency, creativity, interactivity. *The Frontiers of Society, Science and Technology, 6*(1), pp.117~123.

Reeves, B., & Nass, C.(1996). *The media equation: How people treat computers, television, and new media like real people and places.* Cambridge University Press.

07

협업 디자인 프로세스

캐릭터 디자인에서 AI와 인간 디자이너의 협업은 창의성과 효율성을 높이는 핵심 요소로 자리 잡았다. AI는 대량 시안 생성, 데이터 분석, 반복 시험을 담당하고, 인간은 스토리텔링, 미감, 윤리 판단 등 세밀한 큐레이션을 수행한다. 다양한 디자인 분야에서 검증된 협업 패턴을 적용하며, 실무와 교육 현장에서 다자간 피드백을 통한 실시간 공동 작업이 확산되고 있다. 협업은 새로운 창작 모델을 열지만, 저작권과 데이터 편향 등 책임 문제도 지속 검토가 필요하다.

AI와 애니메이션?

AI와 인간 디자이너의 협업, 그리고 다양한 디자인 분야의 확장

디자인 프로세스에서 AI와 인간 디자이너의 협업은 특정 분야에 한정되지 않고, 점차 다양한 산업 전반으로 확장되고 있다. 그래픽 디자인 분야에서는 미드저니, 달리, 어도비 파이어플라이 등 생성형 AI가 일러스트레이션, 포스터, 웹 디자인 등의 시각 작업에서 시안 생성 도구로 활용되는 사례가 늘고 있다. 디자이너는 AI가 제안한 다양한 결과물 중 의미 있는 아이디어를 선별하고, 자신의 미적 감각과 맥락적 해석을 더해 독창적인 디자인으로 완성한다.

제품 및 산업 디자인 영역에서는 AI가 시장 트렌드나 소비자 데이터를 기반으로 분석을 수행하고, 3D 모델링과 최적화 설계, 친환경적 대안 탐색 등을 지원하는 방식으로 협업을 시도하고 있다. 이러한 지원을 통해 디자이너는 창의적 방향 설계와 중요한 판단에 보다 집중할 수 있게 된다.

패션 디자인의 경우, 실시간 패턴 변형, 색채 추천, 가상 피팅 등에서 AI 기술이 점차 접목되며, 디자이너는 이를 참고해 트렌드 변화나 브랜드 정체성을 반영하고 다양한 스타일 실험을 반복할 수 있는 유연성을 확보하고 있다.

공간 및 건축 디자인 분야에서도 AI는 수요 예측, 동선 시뮬레이션, 조도 분석, 소재 추천 등에서 활용 가능성이 점차 커지고 있다. 디자이너는 AI로부터 도출된 데이터를 바탕으로 창의적인 공간 해석과 조형 설계를 더하며, 고유한 결과물을 완성해 간다.

이처럼 각 분야에서의 협업 구조는 데이터 기반 분석, 반복적 시안 생성, 실험적 탐색 등의 영역에서 AI의 역할이 돋보이고, 문화적 해석, 사회적 맥락화, 미적 판단과 같은 고차원적 설계 단계에서는 인간 디자이너의 감각과 통찰이 핵심적으로 작용하는 양상으로 발전하고 있다.

한편 캐릭터 디자인 영역은 정보의 정체성, 내러티브 설정, 감정 표현 등 서사 중심 구조가 강조된다는 점에서 타 분야와 차별화된다. 캐릭터는 단순 시각적 심벌이 아니라 사용자 경험과 스토리의 핵심 매개체이기 때문에, AI-인간 디자이너 협업에서 생성적 실험과 해석적 조율이 더욱 고차원적으로 요구된다. 타 디자인 협업 프로세스에서 검증된 전략을 캐릭터 디자인에 맞게 재해석하고 적용하는 일은 한층 세밀한 기획과 감정적 명료함, 그리고 반복적 프로토타이핑이 결합된 창작 구조를 요구한다(Khasawneh et al., 2025; Tang & Chen, 2024).

캐릭터 디자인 협업 프로세스의 실제와 차별성

캐릭터 디자인의 협업 프로세스는 일반적으로 '(1) 아이디어 발산-(2) 큐레이션 및 감성화-(3) 프로토타이핑 및 실시간 피드백'의 세 단계로 구조화된다. 우선 AI는 대용량 이미지, 텍스트 데이터와 트렌드 정보를 바탕으로 다양한 표정, 스타일, 감정, 복장 변주 등 수많은 시안을 신속하게 생성한다. 인간 디자이너는 이 중 프로젝트 서사, 브랜드 가치, 세계관과 부합하는 시안을 선별한다. 감정선과 내러티브의 맥락, 표현의 디테일, 문화적 의미 부여 등은 인간의 해석적 감수성에 의해 완성된다. AI가 다변량 조합 중심의 제안을 반복하면, 디자이너는 스토리텔링과 감성 품질, 윤리성 보정을 동시에 수행하며, 개별 시안의 약점을 창의적으로 보완한다.

이 구조는 그래픽, 제품, 패션, 공간 디자인의 협업 흐름과 유사하지만, 캐릭터 분야에서는 더욱 내러티브 중심적이고 사용자 감정 경험에 초점을 둔다는 점이 두드러진다. 실제 글로벌 현장에서는 유비소프트(Ubisoft), 일렉트로닉 아츠(EA) 같은 게임 및 미디어 기업이 슈퍼AGI 일러스트레이터, 라마젠, 미드저니 등 다양한 AI 도구를 활용해 캐릭터 콘셉트와 변형을 대거 만든 뒤, 공동 편집 시스템에서 문화적 지역별 맥락, 스토리 흐름, 감정 표현 등 복합적인 피드백 과정을 거쳐 결과물을 최종 조율한다(SuperAGI, 2025; LlamaGen.AI, 2025).

학술적으로도 최근 HCI International 국제 학술대회(HCII 2025)에서 발표된 박희현(2025)의 연구는 챗봇 프롬프트 설계에 챗GPT를, 캐릭터 시안 제작에는 미드저니를 결합한 협업 구조를 실험했다. 연구는 80개 이상의 챗봇 디자인을 분석해 시각적 · 기능적 특성을 분류하고, 인간 디자이너가 AI가 제시한 옵션을 큐레이션하며 새로운 챗봇 캐릭터 디자인 프로세스를 제안했다. 이를 통해 'AI-인간 코크리에이션'의 구체적 절차와 그 한계를 함께 규명하였다. 카사웨네 외(Khasawneh et al., 2025)는 미드저니를 활용한 대학교 실습에서 학생, 교수, 그리고 AI가 함께 캐릭터 아이디어를 평가하는 과정을 분석했다. 이 과정에서 브랜드 감성, 문화적 맥락 조정, 감정선 맞춤과 같은 섬세한 작업은 인간이 주도적으로 조율하였으며, 이를 통해 교육 및 협업 현장에서 내러티브 중심의 공동 창작이 강화되는 양상을 확인했다.

최근 현장에서는 디자인 가이드의 실시간 공유, 스토리보드 자동화, 다자간 피드백 시스템 등, 공동 작업과

소통 · 수정의 피드백 루프가 복합적으로 도입되고 있다. 캐릭터 디자인의 창작 공동체 역시 이런 첨단 인프라를 적극 활용한다. AI가 촉진하는 창의적 시안 실험과 인간의 큐레이션, 내러티브 해석, 반복적 피드백이 유기적으로 결합되며, 결과적으로 빠른 실험과 창의성 극대화, 감성적 완성도를 모두 확보하는 최적의 창작 프로세스가 실현된다.

협업의 성과, 한계, 그리고 미래 전망

AI-인간 협업은 반복적 수작업의 자동화, 대량 시안 생성, 빠른 실험이라는 구조적 효율성과 함께, 디자이너가 내러티브 설계, 감정선 연출, 의미 해석 등 핵심 창의성에 전략적으로 집중하는 토대를 제공한다. AI의 예측 불가한 조합 아이디어는 디자이너에게 새로운 자극을 제공하여, 이전에는 상상하기 어려웠던 스타일 탐색이나 위험 부담이 있는 실험을 가능하게 한다. 실제로 대형 콘텐츠 기업이나 에이전시 현장에서는 AI 기반 협업 도입 후 개발 기간의 단축, 작품 완성도 향상, 시장 신속 대응 등 혁신적 성과가 다수 보고되고 있다(Bousetouane, 2025).

동시에 기술 의존도가 높아질수록 창작물의 소유권과

저작권, AI 결과물의 책임 주체, 데이터 신뢰와 편향 문제, 인간 디자이너의 역할 약화 등 새로운 한계와 도전이 부상한다. 특히 복잡한 공동 창작 과정에서 AI가 제공한 데이터의 오류, 문화적 욕구의 미반영, 편향적 제안이 잠재적으로 문제를 일으킬 수 있어, 인간 디자이너의 적극적 개입과 윤리적 관리 역량이 필수다(Wang et al., 2024).

미래의 협업 디자인 프로세스는 더 개방적이고 통합적인 방향으로 진화한다. AI와 인간, 그리고 다양한 디자인 전문가가 네트워크 기반 협업 플랫폼에서 실시간으로 공동 설계, 평가하고 수정하며 프로젝트별 맞춤 전략을 집단 창조 방식으로 도출하게 된다. 이 과정에서 디자이너는 창작자로서의 자율성과 함께, 피드백 및 소통 역량, 미래 지향적 학습 태도까지 함께 발전시켜야 한다. AI가 생성한 다양한 시각적 가능성과 인간의 직관, 감성, 비판적 해석력, 그리고 현장 전문가들의 경험과 문화적 감각이 결합될 때, 캐릭터 디자인은 한층 더 풍부하고 의미 있는 창작 생태계로 진화할 것이다.

참고문헌

Bousetouane, F.(2025). Generative AI for vision: A

comprehensive study of frameworks and applications. arXiv:2501.18033.

Khasawneh, F. et al.(2025). The influence of Midjourney AI on animation character design: A case study of multimedia design students at The University of Jordan. *International Journal of Interactive Mobile Technologies, 19*(3), pp.141～169.

LlamaGen.AI(2025). Ultimate guide to AI character consistency in 2025. https://llamagen.ai/blogs/ai-character-consistency-solutions-2025

Park, H.(2025). A study on Chatbot UI design processes utilizing generative AI: Integrating ChatGPT and MidJourney. *Proceedings of the HCI International Conference(HCII 2025).*

SuperAGI(2025). Top 10 AI illustration tools for digital artists in 2025: A comprehensive guide. https://superagi.com/top-10-ai-illustration-tools-for-digital-artists-in-2025-a-comprehensive-guide/

Tang, M. & Chen, Y.(2024). AI and animated character design: Efficiency, creativity, interactivity. *The Frontiers of Society, Science and Technology, 6*(1), pp.117～123.

Wang, Z. et al.(2024). Evaluating and mitigating IP infringement in visual generative AI. arXiv:2406.04662.

08
윤리적 및 법적 문제

AI 기반 캐릭터 디자인은 저작권, 데이터 편향, 사회적 책임 등 다양한 윤리적 및 법적 쟁점을 수반한다. 생성 과정의 투명성과 데이터의 합법적 출처 확보, 인간 디자이너의 창작 기여 인정, 편향 최소화가 필수적이다. AI 시대의 디자이너는 기술을 단순히 활용하는 제작자를 넘어, 사회적 의미를 해석하고 윤리적 균형을 설계하는 문화적 중재자 역할을 수행해야 한다. 지속 가능한 창작 생태계를 위해서는 법·윤리 제도와 교육, 협력이 함께 강화되어야 한다.

AI와 인재 채용?

AI 캐릭터 윤리적 쟁점과 사회적 책임

AI 기술이 캐릭터 디자인에 적극 도입되면서, 윤리적 문제는 더욱 다층적이고 심도 있게 다뤄져야 할 과제로 부상했다. 생성형 AI는 방대한 양의 이미지, 텍스트, 문화적 자료를 학습하여 새로운 시각적 산출물을 만들어 내지만, 이 과정에서 저작권 있는 기존 작품을 무단 활용하거나, 편향된 데이터를 기반으로 한 부적절한 표현을 재생산할 위험이 존재한다. 캐릭터는 단순한 미적 객체를 넘어서 사용자와 감성적으로 소통하는 매개체다. 따라서 AI 기반 캐릭터 디자인에서 사회적 책임을 다하는 것은 창작 자유와 기술 혁신 못지않게 중요하다. 디자이너와 개발자는 AI가 만든 결과물을 비판적으로 검토하고, 문화적 다양성과 사회적 다양성을 존중하며, 혐오나 차별적 메시지가 확산되지 않도록 세심한 감수성을 발휘해야 한다. 또한 AI 개발자와 운영자는 데이터 투명성, 학습 데이터의 합법적 출처 확보, 편향 최소화 노력, 알고리즘의 공정성을 보장하는 데 적극적으로 참여해야 하며, 이러한 윤리 원칙은 캐릭터 디자인 과정 전반에 내재되어야 한다.

저작권과 책임 문제: 글로벌 및 국내 법적 현황과 실무 대응

AI가 생성한 캐릭터 이미지의 저작권 귀속 문제는 국제적으로 복잡하고 논쟁적인 주제다. 전통 저작권법은 인간 창작자를 권리의 주체로 간주하지만 AI가 산출물에 핵심 역할을 하는 경우 저작자성 인정 기준은 불분명하다. 미국 저작권청은 '인간의 실질적 창작 개입이 없으면' AI 산출물에 저작권을 부여하지 않으며, 일부 유럽 국가에서는 제한적으로 AI 운영자 권리를 인정하는 사례도 있다. 국내에서는 인간 디자이너의 창작적 기여와 해석을 저작권 인정의 핵심으로 보며, 단순 AI 산출물 활용 시 저작권 분쟁 소지가 커진다. 따라서 기업과 개인은 AI 도구 사용 시 라이선스, 데이터 출처, 권리 귀속을 철저히 점검하고 계약서에도 권리 분배 및 책임 범위를 명확히 해야 한다. 실무적으로는 AI가 만든 캐릭터를 무분별하게 복제하거나 상업적으로 이용하지 않고, 저작권 및 상표권 침해 가능성을 예방하는 절차 마련이 필수다. 디자이너는 AI 결과물에서 자신의 창작적 판단과 선택과 조형 등, 인간 디자이너의 역할을 명확히 인지해야 한다.

지속 가능한 AI 캐릭터 디자인을 위한 실천 지침과 미래 전망

윤리적이고 법적 문제를 최소화하며 AI 캐릭터 디자인을 지속 가능하게 하려면, 체계적인 관리와 다자간 협력이 필요하다.

우선 AI 학습 데이터는 적법한 출처에서 확보되고 사전 동의 및 투명성이 보장되어야 하며, 편향과 차별 요소가 적발될 경우 즉각 시정 조치가 취해져야 한다. 디자이너는 AI 프롬프트 입력 단계부터 저작권 침해, 문화적 민감성, 윤리적 측면을 고려하는 숙련된 가이드라인을 적용하고, AI가 제안한 결과물은 반드시 세심하게 검토하고 윤리적으로 관리해야 한다.

기업은 정기적으로 교육 프로그램과 윤리 위원회를 운영해 실무자의 책임감과 감수성을 강화하고, 디자인 결과물에 대한 지속적 모니터링 체계를 갖춰야 한다. 기술 발전과 함께 법 제도와 사회적 합의도 조화롭게 성장해야 하며, AI 기반 캐릭터 디자인의 혁신성과 창작 자유는 윤리적 투명성과 책임 없는 한계에 머물지 않아야 한다. 향후에는 알고리즘과 데이터 처리 과정을 공개하는 투명성 확보, 크리에이터 권리 재정립, AI 생성물 관련 법·윤리 교육 강화 등의 노력이 더욱 중요해질 전망이다.

AI 윤리의 새로운 기준과 디자이너의 역할

AI 캐릭터 디자인의 윤리 논의는 단순히 기술 오남용을 방지하는 수준을 넘어, 창작 과정 전반에 걸친 투명성(Transparency)과 책임(Accountability)의 확립으로 확장되고 있다. 최근 유럽연합(EU)의 'AI Act(2024)'와 유네스코(UNESCO)의 '인공지능 윤리 권고(2021)'는 생성형 AI가 만든 결과물의 출처와 생성 과정을 명확히 밝히고, 인공지능이 개입한 창작물임을 표시하도록 요구한다. 이러한 원칙은 캐릭터 디자인에도 직접적인 영향을 미친다.

이 같은 제도적 변화는 디자이너의 역할에도 변화를 요구한다. 디자이너는 더 이상 단순히 도구를 활용하는 제작자가 아니라, 기술이 만들어 내는 사회적 의미를 해석하고 조정하는 문화적 중재자(cultural mediator)로서의 책임을 지닌다. 생성형 AI의 편의성에만 의존하기보다, 그 결과물의 맥락과 사회적 파급을 비판적으로 검토할 필요가 있다. 특히 캐릭터 디자인은 감정과 정체성을 다루는 영역이기 때문에, AI가 특정 성별 · 인종 · 문화에 대한 고정된 이미지를 반복 학습하지 않도록 세심한 검증과 윤리적 감수성이 필수적이다.

AI 윤리의 핵심은 결국 데이터의 투명한 출처 공개, 창작자 권리의 명확화, 사회문화적 다양성의 포용으로 요약할 수 있다. 윤리적 AI 디자인은 '무엇을 만들 것인가'보다 '어떻게 만들 것인가'의 문제이며, 기술이 아무리 빠르게 발전하더라도 그 속도를 따라잡는 것은 인간의 가치 판단과 사회적 합의다. AI 시대의 디자이너는 기술을 다루는 제작자를 넘어, 창의와 윤리를 조율하는 설계자로서의 책임을 자각해야 한다.

참고문헌

Bousetouane, F.(2025). Generative AI for vision: A comprehensive study of frameworks and applications. arXiv:2501.18033.

Khasawneh, F. et al.(2025). The influence of Midjourney AI on animation character design: A case study of multimedia design students at The University of Jordan. *International Journal of Interactive Mobile Technologies, 19*(3), pp.141~169.

Tang, M. & Chen, Y.(2024). AI and animated character design: Efficiency, creativity, interactivity. *The Frontiers of Society, Science and Technology, 6*(1), pp.117~123.

Wang, Z. et al.(2024). Evaluating and mitigating IP infringement in visual generative AI. arXiv:2406.04662.

European Union(2024). Regulation (EU) 2024/1689 of the European Parliament and of the Council of 13 June 2024 on laying down harmonised rules on artificial intelligence

(Artificial Intelligence Act).Official Journal of the European Union, L, 2024/1689. Retrieved from https://eur-lex.europa.eu/eli/reg/2024/1689/oj
UNESCO(2021).Recommendation on the Ethics of Artificial Intelligence. Paris: UNESCO. Retrieved from https://unesdoc.unesco.org/ark:/48223/pf0000381137

09
미래 트렌드와 혁신

AI 기술의 발전은 캐릭터 디자인에 근본적 변화를 가져오고 있다. 자동화된 아이디어 생성과 맞춤형 표현으로 디자이너의 창의성을 확장하며, 실시간 상호작용과 초개인화 경험을 가능케 한다. 글로벌 시장에 맞춘 현지화와 IP 보호 기술도 발전 중이다. 미래에는 AI와 인간이 협력하는 개방적 창작 생태계가 조성되며, 디자이너는 전략적 창작과 윤리적 판단에 집중하여 새로운 디자인 혁신을 이끌 것이다.

AI와 기자?

확장되는 캐릭터 디자인의 경계

AI 기술의 발전으로 캐릭터 디자인을 비롯한 디자인 전반의 흐름이 근본적으로 변화하고 있다. 초기에는 반복 작업을 줄이고 시각적 보조를 제공하는 수준에 머물렀지만, 이제는 창작 아이디어를 생성하거나 감정과 상황에 따라 맞춤형 표현을 제안하는 등 디자인 과정에 능동적으로 개입하고 있다. 특히 캐릭터 디자인에서는 스타일, 표정, 포즈 생성에 그치지 않고, 사용자 경험이나 브랜드 아이덴티티와도 연결된 구조적 문제까지 포괄하고 있다.

이러한 변화는 캐릭터 디자인의 영역을 넘어 사용자 경험(UX), 시각 커뮤니케이션, 제품 디자인, 교육 콘텐츠 등 다양한 분야로 확장되고 있다. 예를 들어 일본 도쿄공업대학교의 사노와 야마다(Sano & Yamada) 연구팀에서 개발한 '캐릭터 공간 구성(Character Space Construction)'은 디자인 개념 탐색을 위해 제안된 실험적 인터랙티브 시스템이다. 이 도구는 디자이너가 언어로 입력한 감성 키워드들을 4분면(쿼드런트) 형태의 시각 지도 위에 배열하면서, 서로 대조적이고 상반된 개념 사이의 균형이나 특성을 보다 직관적으로 조율할 수 있도록 지원한다. 현재는 일본 등 일부 연구 현장과 실험적 디자인 교육 과정에서 주로 사용하고 있으며, 실무 현장보다는 개념적 사고 훈련과 창의적 탐색 지원을 목적으로 적용되는 사례가 많다. 이를 통해 감성적 언어와 구조적 시각화가 결합되어, 복잡한 디자인 초기 단계를 체계적으로 지원할 수 있다는 평가가 있다(Sano & Yamada, 2022).

비슷한 맥락에서, 미국의 인월드 AI(Inworld AI)는 대화형 인공지능을 활용해 캐릭터의 성격, 감정 반응, 서사적 행동 패턴을 실시간으로 시뮬레이션할 수 있는 인터랙티브 디자인 플랫폼을 개발했다. 이 시스템은 게임이나 애니메이션 제작 과정에서 캐릭터의 언어, 감정, 표정 반응을 동시에 조율함으로써, 작가와 디자이너가 '스토리 기반 감정 설계(emotional scripting)'를 실험할 수 있도록 한다. 이러한 접근은 정적인 캐릭터 디자인을 넘어, 사용자 경험(UX)과 내러티브 디자인이 통합된 새로운 창작 모델로 확장되고 있다.

이처럼 AI는 시각화 능력을 증폭하는 보조 수단에서 한 걸음 더 나아가, 디자이너가 창작 아이디어를 실험하고 구조화하는 데 개입하는 파트너로 작용한다. 특히 감성 전달이 중요한 디자인에서는, 캐릭터가 단순한 시각 요소를 넘어 감정과 의미를 통합하는 설계 요소로 재정의되고 있으며, 이에 따라 AI의 역할도 단순 생성이 아닌 '상황 맥락에 맞춘 조율'로 확장되고 있다.

디자이너의 역할과 창작 환경의 재정의

AI 도구의 접근성이 높아지면서 디자인의 민주화가 빠르게 진행되고 있다. 미드저니, 달리, 파이어플라이와 같은 생성형 AI는 전문적인 기술을 갖추지 않아도 일정 수준의 결과물을 만들어 낼 수 있게 했고, 이는 디자인의 문턱을 낮추는 동시에 디자이너의 정체성에 대한 새로운 질문을 던진다. 이제 디자이너는 결과물을 단독으로 제작하는 전문가라기보다, 수많은 시안 중 의미를 선별하고 맥락을 구성하는 큐레이터이자 전략가에 가까워지고 있다.

이와 함께 디자인 교육의 방향도 변화하고 있다. 기존의 소프트웨어 중심 교육이나 제작 중심 커리큘럼에서 벗어나, AI와의 협업을 기반으로 한 문제 해결형 접근이 강조되고 있다. AI는 단지 정답을 찾는 도구가 아니라, 다양한 가능성을 실험해 볼 수 있는 조력자로 기능하며, 학습자에게는 더 넓은 탐색 공간을 제공한다. 쿠니와 쇼베리(Cooney & Sjöberg, 2022)는 AI 도구가 학습자의 감정 표현과 창의성을 동시에 자극할 수 있는 실험적 가능성을 보여 준다고 분석하며, 디자인 교육에서 AI 도구의 역할이 점점 중요해질 것이라 평가했다.

이러한 흐름은 협업 방식에도 영향을 미치고 있다. 다양한 배경의 참여자가 동일한 플랫폼에서 작업할 수 있게 되면서, 시각화 능력의 격차를 줄이고 디자인 대화의 속도와 깊이를 동시에 높일 수 있게 된 것이다. AI 기반 도구는 디자이너가 손으로 직접 그리지 않더라도 아이디어를 구체적인 이미지 형태로 전달할 수 있게 하여, 기획자, 일러스트레이터, 개발자 간 협업 효율을 높이고 있다(Das & Rani, 2024).

융합적 사고와 미래 설계의 시사점

디자인의 미래는 더 이상 특정 매체나 기술에 고정되어 있지 않다. 디자인에는 기술, 예술, 인문학, 데이터가 서로 교차하며, 디자이너에게는 그 사이의 균형을 감각적으로 조율하는 역량이 요구된다. 특히 캐릭터 디자인은 감성적 요소와 시각적 구조, 기능적 목적이 결합되는 복합적 장르인 만큼, AI와의 협업에는 더욱 섬세한 조율이 필요하다.

AI는 이 과정에서 단순히 창작을 대체하는 것이 아니라, 새로운 가능성을 열어 주는 실험실의 역할을 하게 된다. 의료 커뮤니케이션 디자인에서는 AI 기반 캐릭터를 활용하여, 정보 전달의 정확성과 감정 몰입을 동시에 유도할 수 있다는 연구도 있다. 부딕 외(Budich et al., 2023)는 데이터 기반 내러티브에 등장하는 캐릭터 설계에서, AI가 정서적 반응 설계에 기여할 수 있다는 가능성을 제시했다.

디자인은 이제 정해진 정답을 구현하는 작업이 아니라, 복잡한 맥락 속에서 다양한 해석과 감각을 조율하는 창작 행위로 변화하고 있다. AI는 이 과정을 확장하는 기술적 도구이자, 창작을 되돌아보는 사고의 거울이 되어가고 있다. 이러한 변화는 인간과 기술의 관계를 바라보는 관점에서도 새로운 전환점을 보여 준다.

과거의 인간-컴퓨터 상호작용(HCI)이 효율성과 사용성 중심이었다면, 이제는 인간-AI 상호작용(HAII)을 통해 감정과 맥락이 함께 설계되는 관계적 디자인으로 확장되고 있다. 캐릭터 디자인은 그 대표적인 무대가 되어, 인간의 감정과 인공지능의 반응이 서로 영향을 주고받으며 발전하고 있다. 결국 미래의 디자인은 기술을 제어하는 일이 아니라, 인간과 인공지능이 함께 의미를 만들어 가는 과정이 될 것이다.

참고문헌

Budich, B. et al.(2023). Reflections on AI-assisted character design for data-driven medical stories. In Proceedings of the Eurographics Workshop on Visual Computing for Biology and Medicine (VCBM 2023) pp. 73~82. The Eurographics Association. https://doi.org/10.2312/vcbm.20231216

Cooney, M. & Sjöberg, J.(2022). Playful AI prototypes to support creativity and emotions in learning. In E. Brooks, J. Sjöberg, & A. K. Møller (Eds.). *Design, Learning and Innovation: 6th EAI International Conference, DLI 2021, Virtual Event, December 1-3, 2021, Proceedings,* pp.129~140. Springer. https://doi.org/10.1007/978-3-031-06675-7_10

Das, S. & Rani, P.(2024). Revolutionizing graphic design: The synergy of AI tools and human creativity. *ShodhKosh: Journal of Visual and Performing Arts, 5*(2), 372~380. https://doi.org/10.29121/shodhkosh.v5.i2.2024.1393

Inworld AI(2024). Inworld AI: Character Engine for Interactive Worlds. https://inworld.ai

Ling, X. et al.(2024). Revolutionizing graphic design: The synergy of AI tools and non-experts.

Sano, S. & Yamada, S.(2022). AI-assisted design concept exploration through Character Space Construction. *Frontiers in Psychology, 12,* 819237. https://doi.org/10.3389/fpsyg.2021.819237

10
응용과 구현

AI가 캐릭터 디자인 프로세스 전반에 통합되며, 아이디어 발상부터 시안 생성, 피드백, 상용화까지 작업 방식이 변화하고 있다. 생성형 AI는 다양한 스타일과 시안을 신속히 제공하고, 디자이너는 감성적 큐레이션과 내러티브 해석에 집중한다. 글로벌 현장에서는 AI 협업이 보편화되어 빠른 디자인과 현지화가 가능해졌지만, 저작권과 데이터 편향 등 윤리 문제도 함께 제기된다. 실무에서는 AI 도구의 역할 설정, 데이터 관리, 협업 체계와 교육이 중요하며, AI는 단순 보조를 넘어 창의적 동반자로 진화할 전망이다.

AI와 미래 의사?

AI 통합 캐릭터 디자인 워크플로 실제

AI가 캐릭터 디자인 전 과정에 깊숙이 통합되면서, 창작 프로세스는 근본적인 변화를 겪고 있다. 초기 아이디어 발상부터 수많은 시안 생성, 큐레이션, 프로토타입 개발, 반복 피드백, 최종 상용화에 이르기까지, AI 도구들은 디자이너의 작업 효율과 창의성을 크게 높이며 충실히 지원하고 있다.

특히 미드저니, 달리, 슈퍼AGI 일러스트레이터, 레오나르도 AI 등 생성형 AI는 다양한 스타일, 표정, 배경 등의 시안을 빠르게 자동 생성함으로써 디자이너에게 풍부한 선택지를 제공하고 있으며, 앞으로 더욱 다양한 AI 도구들이 개발되고 발전할 것으로 기대된다.

인간 디자이너는 이러한 과정 속에서 프로젝트의 브랜드 감성, 사용자 경험, 정체성에 부합하는 결과물을 선별하고 보완하며, 세세한 감성과 내러티브 요소를 더하는 큐레이터 역할을 맡고 있다. 이 역할은 앞으로 더욱 중요해질 것으로 보인다.

또한 실시간 협업 툴, 클라우드 기반 피드백 시스템, 자동 색상 제안 및 스타일 적용과 같은 최신 기술 역시 더욱 세분화되어 발전할 것이다. 이는 팀 내 의사소통과 의사 결정을 원활하게 하여 작업 품질 향상과 일정 단축에 크게 기여할 것으로 예상된다.

실제 적용 사례와 현장 분석

현재 국내외 디자인 현장에서는 생성형 AI와 인간 디자이너가 긴밀하게 협업하는 다양한 응용 프로젝트들이 빠르게 확산되고 있다. 특히 글로벌 게임 산업에서는 AI 도구를 핵심 창작 파트너로 활용하여 기존보다 훨씬 빠르고 유연한 캐릭터 디자인 프로세스를 구현하고 있다. 예를 들어 유비소프트, 일렉트로닉 아츠 등은 자체 개발한 생성형 AI 시스템과 이미지 생성 도구인 달리, 스테이블 디퓨전을 활용해 캐릭터의 표정과 동작을 다양하게 변주하고, 상황별 대사를 자동 생성하며, 문화권에 따른 맞춤형 현지화 작업까지 체계적으로 수행한다.

한편 국내에서도 대형 IT 기업, 게임사, 교육 기관 등이 AI 기반 워크숍과 협업 툴을 적극 도입하며, 인간과 AI의 협업적 생산성을 다각도로 실험하고 있다. 예컨대 챗GPT와 미드저니를 연동해 챗봇의 사용자 인터페이스와 브랜딩 시안을 제작한 프로젝트, 어도비 파이어플라이를 활용해 애니메이션 캐릭터의 시리즈 일관성을 유지하고 스타일 가이드를 구축한 사례, 캐릭터 스토리텔링에 특화된 AI 플랫폼인 인월드AI를 통해 개별 캐릭터의 성격과 말투, 감정 반응까지 설계한 프로젝트 등이 주목받고 있다.

이러한 프로젝트들은 생성형 AI의 시각적 표현력과 문맥 기반 생성 능력을 효과적으로 활용한 사례로 평가받고 있지만, 동시에 AI가 제안한 시안이 저작권 문제를 일으키거나, 데이터 편향으로 인해 특정 문화나 성별, 인종을 왜곡하는 결과를 낳아 프로젝트가 중단되거나 수정되는 사례도 존재한다. 따라서 실무에서는 AI 모델에 학습된 데이터의 출처와 특성을 사전에 면밀히 검토하고, 생성 결과물에 대한 철저한 검증과 재해석을 거치는 과정이 반드시 병행되어야 하며, 이러한 윤리적 감수성과 기술적 이해는 실무자가 반드시 갖추어야 할 핵심 역량으로 자리 잡고 있다.

실무자를 위한 구체적 가이드와 미래 전망

성공적인 AI 통합 캐릭터 디자인을 위해서는 단계별로 구체적인 점검 사항 마련과 합리적인 워크플로 설계가 요구된다. 단순히 하나의 툴을 사용하는 수준을 넘어, 전체 디자인 시스템 안에서 AI의 위치와 역할을 정확히 정의하는 것이 출발점이 되어야 하며, 프로젝트의 규모, 팀의 구성, 결과물의 목적에 따라 그 통합 방식도 달라질 수 있다.

첫째, 프로젝트 기획 초기 단계에서부터 어떤 AI 도구를 어떤 방식으로 사용할 것인지, 데이터의 출처와 가공 수준은 어떤지, 생성 결과에 대한 저작권과 책임은 누가 지는지 등을 명확히 정리해야 한다. 예를 들어 미드저니나 레오나르도를 활용해 스타일 보드를 제작하는 경우, 참고 이미지가 오픈 라이선스 기반인지 확인하고, 생성 과정에서 사용된 프롬프트와 결과물의 저장 및 공유 방식을 팀 내에서 일관되게 관리해야 한다. 이처럼 초기 세팅이 명확하지 않으면 이후 단계에서 법적 · 윤리적 리스크가 커질 수 있으므로, 전담자가 주도하여 프로세스를 문서화하고, 팀원 전체가 이를 공유하는 것이 바람직하다.

둘째, AI가 생성하는 결과물은 어디까지나 '초안' 또는 '제안'의 성격을 가진다는 점을 분명히 인식해야 한다. 인간 디자이너는 단순한 확인자나 승인자가 아니라, 브랜드의 감성과 내러티브, 시각적 통일성을 반영하는 큐레이터이자 공동 창작자로서의 역할을 수행해야 한다. 예컨대 감정 중심 캐릭터나 교육용 캐릭터를 설계할 경우, AI는 시각적 스타일이나 캐릭터 구조를 빠르게 제안할 수 있지만, 대상 연령층의 정서적 수용성, 사회적 맥락, 표현의 적절성 등은 여전히 사람의 판단이 필요하다. 이때 디자이너는 미학적 판단뿐 아니라 윤리적 · 문화적 고려를 포함하여 AI 결과를 해석하고 보완해야 하며, 필요시 AI 피드백을 반복적으로 조정해 가며 창작을 지속해야 한다.

셋째, 실시간 피드백 체계와 원활한 팀 소통 구조를 갖추는 것이 중요하다. 특히 AI 생성 결과는 반복적 수정이 빈번하고, 다양한 선택지 간 비교 판단이 필요한 경우가 많기 때문에, 팀원 간 빠른 의사소통이 가능한 협업 환경을 마련해야 한다. 예를 들어 피그마(Figma), 슬랙(Slack), 제플린(Zeplin) 등의 협업 툴은 디자이너, 기획자, 개발자가 동시에 작업 결과를 공유하고 피드백할 수 있도록 지원하며, 일부 툴은 프롬프트 연동 기능이나 AI 플러그인 기능을 통해 생성형 AI와 직접 연결된 협업도 가능하다. 단순히 편의를 위한 기능이 아니라, AI 통합 디자인 환경에서는 결과물의 일관성과 작업 효율, 법적 신뢰성을 모두 높이는 전략적 요소로 작용한다.

넷째, 프로젝트를 운영하는 과정에서 정기적인 법적 및 윤리적 교육과 AI 기술 동향에 대한 학습, 실패 및 성공 사례의 내부 공유가 필요하다. 특히 생성형 AI의 저작권 이슈나 데이터 편향 문제는 단순히 기술 팀만의 문제가 아니라 기획자, 디자이너, 마케팅 부서 모두가 함께 이해해야 할 이슈이므로, 내부 세미나나 지식 공유 세션을 정례화하는 것이 권장된다. 또한 최근에는 생성 결과의 '설명 가능성(explainability)'을 높이는 방향으로 AI 도구들이 진화하고 있으므로, 기술적 배경에 대한 최소한의 이해가 디자인 작업에 도움이 될 수 있다. 예를 들어 거대 언어 모델(LLM) 기반 텍스트-투-이미지 AI가 특정 키워드에 과도하게 반응하거나, 인종 · 성별 편향을 자동 반영하는 경우가 많기 때문에, 이런 패턴을 인지하고 대처하는 능력은 디자이너의 필수 역량이 되어 가고 있다.

앞으로 캐릭터 디자인 산업에서 AI의 역할은 단순한 보조자 또는 자동화 도구를 넘어, 인간 디자이너와 감성적으로 조율되는 창의적 동반자(co-creative partner)로 진화할 것이다. 감성적 직관과 기술적 판단이 함께 요구되는 캐릭터 디자인 분야에서, AI는 반복 작업을 줄여 주고 시각적 다양성을 빠르게 제시함으로써 더 많은 실험과 변주를 가능하게 하며, 디자이너는 그 흐름 속에서 의미와 맥락을 해석하고 통합하는 고차원적 역할을 맡게 된다. 이는 단지 도구의 변화가 아니라, 디자이너의 정체성과 작업 방식 자체의 진화를 의미하며, 결과적으로 캐릭터 디자인 산업 전반은 더 높은 창의성과 더 큰 책임, 더 다양한 문화적 표현을 수용하는 새로운 시대로 접어들 것이다.

참고문헌

Khasawneh, F. et al.(2025). The influence of Midjourney AI on animation character design: A case study of multimedia design students at The University of Jordan. *International Journal of Interactive Mobile Technologies, 19*(3), pp.141~169.

LlamaGen.AI(2025). Ultimate guide to AI character consistency in 2025. LlamaGen AI Blog. https://llamagen.ai/blogs/ai-character-consistency-solutions-2025

Park, H.(2025). A study on Chatbot UI design processes utilizing generative AI: Integrating ChatGPT and MidJourney. *Proceedings of the HCI International Conference(HCII 2025).*

SuperAGI(2025). Top 10 AI illustration tools for digital artists in 2025: A comprehensive guide. https://superagi.com/top-10-ai-illustration-tools-for-digital-artists-in-2025-a-comprehensive-guide/

Tang, M. & Chen, Y.(2024). AI and animated character design: Efficiency, creativity, interactivity. *The Frontiers of Society, Science and Technology, 6*(1), pp.117~123.

Wang, Z. et al.(2024). Evaluating and mitigating IP infringement in visual generative AI. arXiv:2406.04662.

박희현

한서대학교 영상애니메이션학과 교수다. 미국 프랫인스티튜트(Pratt Institute)에서 컴퓨터 그래픽스(Computer Graphics)로 학사, 커뮤니케이션 디자인(Communication Design)으로 석사 학위를 받았다. 이후 제너럴일렉트릭(GE), 아트넷(Artnet), 글래머 매거진(Glamour magazine) 등 미국 내 글로벌 기업에서 디자이너로 활동했으며, 현장 경험을 바탕으로 디자인 교육과 연구를 병행해 왔다. 저서 《디자인 앤 뉴욕》(안그라픽스, 2004)을 통해 뉴욕의 디자인 교육과 문화, 실무 현장을 기록했으며, 최근에는 인간-AI 상호작용(HAII, Human-AI Interaction) 관점에서 생성형 인공지능 기반 디자인 프로세스를 연구하고 있다. 현재 서울대학교 미술대학 디자인학부 박사 과정에서 관련 융합 연구를 수행 중이다.